光文社文庫

坂木司リクエスト!

和菓子のアンソロジー

小川一水/木地雅映子/北村薫
近藤史恵/坂木司/柴田よしき/日明恩
恒川光太郎/畠中恵/牧野修

光　文　社

坂木司リクエスト！　和菓子のアンソロジー

まえがき

坂木　司

少し前に、『和菓子のアン』というタイトルの小説を書いた。そしてその打ち合わせの席で、私はふとつぶやいた。

「そういえば、他の方が書いた和菓子のお話も読んでみたいですね」

すると編集者さんは、残念ながらあまり和菓子の話というのはありませんねと答えた。そこで私はつい「ないなら、書いてもらいたいなあ」と言ってしまったのです。

だって料理描写のうまいあの方が描く和菓子を読んでみたいし、文体に水分を感じるあの作家さんには、洋菓子より和菓子が似合うはず。それから気配を描くのに長《た》けたあの人の文章なら、和菓子の雰囲気がしっとり伝わりそう。

そんな熱弁を振るっていたら、目の前の編集者さんがにやりと笑いました。

「それ、面白そうですね」

かくして、自分の好きな作家さんに自分の好きなテーマで小説を書いていただくという、世にも豪華な企画が誕生したわけです。

それではどうぞ、お楽しみ下さい。『和菓子の餡、ソロジー』開店です。

和菓子

空の春告鳥

坂木司

坂木 司《さかき・つかさ》

１９６９年、東京都生まれ。覆面作家。

２００２年、『青空の卵』でデビュー。

作品に『シンデレラ・ティース』『短劇』『和菓子のアン』『ワーキング・ホリデー』『大きな音が聞こえるか』など。

お正月の賑々《にぎにぎ》しさが消え、成人式が終わり、学校がはじまる一月中旬。もはや何もイベントのなくなった週末の朝に、ふとお母さんが言った。

「そういえば杏子《きょうこ》。あんた今日はお休みだったわよね」

「うん」

今週は日曜日と水曜日がお休み。私のバイト先は、つながった休みを取るには事前の申請が必要だ。

「でも、特に予定はないんでしょ？」

ちょっとむっとする。確かに低身長で高カロリーを摂取しているから、彼氏と名のつく男性とご縁はない。ついでに休みが友達と合わないので、中々約束もしづらい。でも私にだって、録画しておいたドラマを見ながらお菓子を食べるという、素晴らしい予定くらいはある。

「……ないわけじゃあ、ないけど」

おせんべいをぱりんと齧《かじ》って、お茶をひと口。あー、おいしい。これぞ休日のゆとり。テレビを見ながら心も身体もリラックスしている私に向かって、お母さんはいきなりとんでもないことを言い出した。

「ね。ヒマだったら一緒に、デパートに行かない？」

「ええー!?」

「いい催し物があるのよ。行ったら絶対、あんたも楽しいから」

寒いし嫌。ていうか場所的に絶対に嫌。そう言って首を横に振る私に、お母さんは目の前で手を合わせる。

「お願い、杏子。友達は予定があるし、お父さんやお兄ちゃんと行っても楽しくないし、なによりその催し物は今日までなのよ！」

「でも」

「お昼は杏子の好きなものでいいから。ね？」

お買い物がすんだ後に、なにかおいしいものでも食べましょ？　お母さんにそこまで言われると、断り続けるのもちょっと悪い気がしてくる。だって実際は、ヒマなんだし。

「……その、催し物って、なに？」

ちょっと。ちょっと聞いてみるだけ。それがお母さんの罠だった。

「これよ」

食卓に、朝刊の折り込みチラシをすっと差し出す。そこにあった文字は。

「――『全国駅弁大会』」

これみよがしに盛り上げられたウニや蟹。『その場で出来立て！』と書かれたステーキ弁当。新幹線の形のなんかは、子供のお土産《みやげ》じゃなくても楽しそう。

「ね？　行きたいでしょ」

思わずうなずいた私は、次の瞬間激しく後悔した。

私は梅本《うめもと》杏子。小さい頃からのあだ名はコロちゃんで、今はあんこの「こ」を取ったアンと呼ばれている。ちなみに仕事は『みつ屋』という和菓子屋で、販売を担当。そしてその店があるのは――。

デパートの、食品フロアなのだ。

＊

なんでお休みの日にまで、と思ったのもつかの間。私は自分の職場と違う系列のデパートを、心から楽しんでいた。だってだって、いつもは見ないお店がいっぱいある。

「ちょっと杏子、お母さんはあっちの海鮮弁当の列に並んでくるから、あんたはいかめしと釜飯と鯛飯を一個ずつ買っておいて」

そっちは行列しないから。そう言い放って、お母さんは人混みの中へと消えた。まあ、携帯電話があるからいいんだけど。私はぶらぶらと催事場を歩きながら、目当てのお弁当を探しにかかる。

「いらっしゃい！　牛肉たっぷりほかほかだよ！」

「豚丼！　甘辛ダレがたまらないよ！」

途中のお店に目移りしまくりながら、ふと考える。駅弁って、どうしてこう無条件でおいしそうなんだろう？

実際のところ、いわゆる総菜屋さんのおかずよりも味の劣るお弁当は結構ある。でもそれでも買ってしまうから、不思議だ。もしかしたら『旅の気分』という魔法のスパイスが、ふりかけられているからかな。

(これなんか、旅先で買ったらどうするんだろう？)

ずしりと重い釜飯を手に提げ、私はとりあえず駅弁フェアから離れた。都心にあるこのデパートの催事場は広く、反対側ではまた違うフェアをやっている。見るともなく眺めていたら、そこに和菓子の店が出ていることに気がついた。

「へえ。『新春・和菓子フェア』かあ」

その一角に、私は迷わず入っていった。やっぱり、普段自分が接している業種には興味がわく。

(ま、正社員でも派遣でもなく、バイトなんだけどね)

どんなお菓子を、どんなディスプレイで売っているのか。販売するときの雰囲気も気になるし、そもそも味が一番気になる。

何か一つ買ってみよう。そう思いながら歩いてみても、中々決まらない。だってここに出ている店のほとんどは、東京以外のお店だからだ。

『東京初出店！』と書かれた店をメインに、パトロール。京都に名古屋に大阪、やっぱり和菓子は関西が本場なんだろうな。

「あ、これ可愛い」

和菓子らしからぬ包装を見つけて、ふと足を止める。白を基調にしたモダンなデザイン。お菓子自体は普通だけど、これは若い女性にあげるのにもいい感じだ。店名は『金沢和菓子・柿一《かきいち》』。金沢のお菓子屋さんは初めてなので、買ってみようと思う。

「いらっしゃいませ」

先に立ち止まっていた男性を接客中の店員さんが、声をかけてくれた。

「ゆっくり見てますから」

そう返すと、緊張したような表情で頭を下げる。店員さんは、私と同じか、ちょっと年上くらいの若い男性。接客に、慣れていない感じがする。だとしたらなおのこと、急がせるのは可哀相だ。

ところで金沢って、どんなところだっけ。なんとなく京都とイメージがかぶるけど、日本地図でどの辺にあるのかわからない。そんなことを考えながら羊羹《ようかん》や生菓子をのんびりと眺めていると、先客の男性がいきなりすごい質問をした。

「あのさ。小麦粉アレルギーの人にお菓子を買っていってやりたいんだけど、ここのには小麦粉が入ってる?」

「え?」

店員さんも面食らったようで、とりあえず上生菓子のコーナーを示している。

「ええと、こちらなんかは大丈夫かと——」

まあ、確かにどら焼きや松風《まつかぜ》みたいなものよりかはいい。でも、上生菓子の中にも小麦粉を部分的に使うものはある。

(大丈夫かな)

接客も慣れてないのに、そんな質問に答えられるんだろうか。そう思っていたら、案の定その男性が突っ込んだ。

「そんな適当に指さすなよ。相手がアナフィラキシー・ショックで死んだら、責任取れるのか」

取れるわけないじゃん。私は心の中で突っ込み返す。ていうかお兄さん、あなたももうちょっと状況を見たらどう? もし本当にそういう人へお菓子を買っていってあげたいんだったら、あからさまに慣れてない感じの店員さんを選んじゃダメでしょう。

ていうか、ショックで大変なことになる可能性があるなら、もう工場レベルのチェックをしなきゃいけないはず。だって最近の袋菓子には『この製品はピーナッツ・大豆を扱う工場で作りました』とか書いてあるし。

　こういうとき、私だったらまず店長に相談する。でもここには、店員さん以外の人はいない。だとしたら、もっと大きな括《くく》りでの責任者を呼ぶべきだ。たとえば、フロア長やこのフエアの責任者に連絡するとか。

「す、すみません……」

　強《こわ》ばった表情で謝る店員さんに、男性はさらに詰め寄る。

「まったく。自分とこの商品の成分も知らないで販売してるなんて、菓子屋の風上にもおけない」

「――申し訳ありません」

　謝り続ける店員さん。見ているこっちまで、つらくなる。なのに男はねちねちと絡むのをやめない。

「この店のパンフレットには、『上生は古典的なこなしで作っております』って書いてるよな。それはつまり、芋の粉や小麦粉が入ってるってことだ。だから不正解。じゃあ正解は何かわかるか？」

「も、申し訳ありません。わかりません」

　顔を真っ赤にして、店員さんは頭を下げた。すると男は、ケースの上に載っているあんころ餅を指さした。

「上新粉《じょうしんこ》で作った団子に、小豆《あずき》百パーセントの餡《あん》のかかってるあんころ餅。これが正解だ」

それを聞いた瞬間、猛烈に腹が立った。この人、調べた上で言ってる！

絶対クレーマーだ。そう感じた私は、わざとらしく男の前のショーケースを覗き込む。あなたが邪魔で見えないなあ、そんな雰囲気を出しつつ、きょろきょろ。すると男はケースから身体を離して、店員さんに言い放った。

「もういい」

ああ、よかった。そう思って店員さんに声をかけようとしたとき、男が吐き捨てるようにつぶやく。

「ったく、いつまでこんな飴《あめ》細工の鳥を置いておくつもりなんだか」

飴細工？　そんなものこのお店にあったっけ？　注意してみても、それらしきものは見当たらない。それにそもそも、飴菓子すらないみたいだし。

（売り切れたとか？）

でも、それならそれで空いたスペースや売り切れのお知らせがあるはず。けれど、それもない。しかも店員さんを見ると、私と同じように不思議そうな表情を浮かべている。

どこか別の店と間違えたのか。見当はずれの捨て台詞《ぜりふ》に、私と店員さんはふと顔を見合わせた。

「あ、あの。大変お待たせしてしまって、申し訳ありません」

慌てて頭を下げる店員さん。

「いえ、大丈夫です。ゆっくりお菓子を見ていたので」

言いながら、ショーケースの生菓子を指さす。

「この『早春』と『うぐいす』を一つずつください」

「かしこまりました。すぐにご用意します」

店員さんが商品を包装している間、私はパンフレットを一部貰う。ふんふん、金沢って日本海側なんだ。

「お待たせしました！」

声に顔を上げると、そこには中身確認もせずに包装された箱が置いてある。しかも、かけられた紐はゆるゆるで、包装紙はずれていた。

（あらら）

これはちょっと、販売員としては失格かも。男の態度は不快だったけど、この店員さんにも問題はあったわけだ。少しがっかりした気分で支払いを済ませると、店員さんはぺこりとお辞儀をする。

「ありがとうございました！　どうぞゆっくり味わってくださいね」

ふむ。笑顔は、悪くない。

お母さんから携帯電話に連絡があって、私たちは階段のそばで落ち合った。

「目当てのお弁当は買えたの？」

たずねると、お母さんは両手に提げた袋を得意げに持ち上げる。

「もちろん！　ついでにステーキ弁当と、鳥づくし弁当まで買ったから」

「え？　一体何個買ったの？」

「うーん、気になったのを全部買ったから、六個くらいかな」

プラス、私の頼まれた三個。ちなみに我が家は四人家族。お兄ちゃんはそこそこ食べるけど、お父さんは小食だ。

「……ねえお母さん、お昼はこれでいいよ」

『なにかおいしいもの』が遠ざかるのを感じながら、私はため息をつく。うちのお母さんは、いつもこうだ。食べ物を買いすぎる。だからお兄ちゃんや私は、縦よりも横の方に成長しまくってるわけで。

なのにお母さんは、のんきにエレベーターを指さした。

「そう？　じゃあデパ地下で副菜とデザートでも買っていく？」

だから、それがデブの素なんだってばー!!

＊

昼は食べ過ぎたので、お菓子まで手が伸びなかった。なので夜、駅弁とお味噌汁とお漬け物を食べたあと、私はプリンを断った。だってプリンは明日でもおいしいけど、上生は今が命。

「さて、と」

お茶を前にして、まずは『早春』を取り出した。白い薯蕷饅頭《じょうよまんじゅう》の上に、くるんとした緑のわらびが描いてある。可愛い。黒文字《くろもじ》で切り分けて、ぱくりとひと口。

「うーん」

まあ、無難な味かな。お饅頭はそれなりにふかっとしてるし、中の餡も悪くはない。でもなんていうか、どこでも買えるような味。

返す刀で、今度は『うぐいす』。こなしで作ってある可愛い小鳥を、残酷にも一刀両断。確かに、普段私が食べているねりきりとは手応えが違う。

ちなみにこなしとねりきりというのは、上生菓子の主体となる素材のことだ。つまり、あんこっぽくて変幻自在のあれのこと。乱暴な言い方をするならば、関西はこなしで関東はねりきりが主流、らしい。

で、どこが違うの？　と言われるとあんまり差はない。ただこなしは餡に粉を加えた後、蒸し上げた生地で、ねりきりは蒸さない。ただ、蒸さないだけで餡に求肥《ぎゅうひ》や水飴を加えているので、成分的にはやっぱり似ているかも。

食べた感じとしては、こなしはしっとりむっちり。ねりきりはしっとりさらり（あるいはとろり）といったところ。

（むっちり、はしてるけど――）

やっぱりあんまりぴんと来ない。それに、これはけっこう甘みが強い。個性が感じられない中で、甘さだけが際立っているのは微妙だ。

パッケージはすごくいいし、お菓子自体のデザインも可愛い。だからこそ、なんだか残念さが際立った。

残り半分になった小鳥を見ていて、ふと思う。そういえば、あれはやっぱりおかしい気がする。だってあんなに店のことを調べ抜いていた男が、そこにない商品の話をするなんて。

それに普通の人は、こなしに小麦粉が使われているなんて知らないはずだ。ということは、もしかしてあの男は和菓子職人なのかもしれない。でなきゃ、違う和菓子屋か。

（でも、商売敵《がたき》だからって、あんなあからさまな絡み方をするかなあ？）

いっそ、おいしくなかったから怒っているという方が納得できる。でもそんな子供みたいな理由で？

明日、店長に聞いてみよう。そうしたら何かわかるかもしれない。そう思って私は、残ったお菓子を口に放り込む。え？　おいしくないなら、食べなきゃいいって？　そんなことができるくらいなら、きっと私は今頃七号サイズの服を着ていることだろう。おいしくないけど、まずいわけじゃないものは世の中に山ほどある。でも、それをおいしくないからといって残すことは私にはできない。

とりあえずエコ、と言っておくことにします。

＊

「あら梅本さん、『和菓子フェア』に行ってきたの？」

私も行きたかったのよ。パンフレットを眺めながら椿《つばき》店長がため息をつく。

「初釜《はつがま》の時期だから、参考になるものが多いのよねえ」

「初釜？」

おうむ返しにつぶやきながら、私は首を傾げる。初めての釜って、どういう意味のことだろう。炊きたてご飯を神様にお供えしたりする行事のこととか？

「初釜っていうのは、新年最初に行うお茶会のことよ。茶道の一大イベントだから、当然和菓子屋にとっても一大事なわけ」

「そうなんですか」

新年最初のお茶会。確かにそれはお祝い事っぽいし、そのお茶席でのお菓子は重要な気がする。

「そうそう。大口注文もあれば、それがきっかけでずっと使ってもらえることもあるから、かなりのビジネスチャンスと言えるわね」

だからこの時期、新作のお菓子を人目に触れさせることが大事なの。そう言われて、私は納得した。なるほど、『東京初出店』には、そういう意味も含まれていたのか。

「ところで店長、『飴細工の鳥』って言われたら、何を思い浮かべます？」

人気《ひとけ》の少ない午前中を幸いに、私は店長にたずねてみる。

「そうね。私だったら、昔縁日に出ていたような飴細工かな」

「それって、べっこう飴みたいなものですか？　それともあんず飴みたいなもの？」

「どちらでもないわ。私が言っているのは、熱いうちに指やハサミで飴を成形する、飴細工職人の作る飴」

そんな屋台、見たことがない。イメージがわかず頭をひねる私に、店長は言った。

「バックヤードのパソコンで『飴細工職人』と検索して見てらっしゃい。百聞は一見にしかず、よ」

言われるがまま、その画像を見てみると、そこには匠《たくみ》の技の世界があった。

器の中で常に熱く保たれた飴を棒に巻きつけ、それが冷えて固まってしまう前に、素早く形を作っていく。鳥、兎、辰。十二支のデザインにはじまり、現代的なものだとキャラクター系まであった。

乳白色の飴に色素を加え、さらに最後に筆で整えると、飴は完成する。もとが白なだけに、全体的にパステルトーンの色合いで、優しい印象だ。

可愛いな。そう思って画面に見入っていると、バックヤードのドアが開いて、すらりと背が高くて細身の男性が入って来る。

「おはようございまーす」

立花《たちばな》さんは店長と同じくこのお菓子屋さんの社員さんで、和菓子職人でもある。とはいえ、黙っていればおしゃれなカフェのギャルソンにも見えたりする。正直言って、チビで横幅が広い私が、隣に並びたくはないタイプ。

でも昨日の店員さんとは違って、接客も商品知識も包装も完璧な、優良販売員なので尊敬している。

いつもなら申し送りなどで少し話すのだけど、今日は立花さんにしては珍しく時間ギリギリ。慌ただしくエプロンを着けて、タイムカードを片手にフロアへと出てゆく。

「『飴細工の鳥』、ですか」

売り場に戻った私が昨日のやりとりを話すと、立花さんはふと遠くを見るような表情になって首を傾げる。

「何かで、聞いたことがあるような……」

「じゃあ、やっぱり和菓子に関する用語なんですね」

和菓子に関しての言葉といえば、前に「腹切り」とか「半殺し」とか物騒なものを聞いてびっくりしたことを思い出す。しかし立花さんは、しばし考えてから首を横に振った。

「少なくとも、製菓用語ではなかったと思います」

気になるので思い出したいのですが。そう言いながら、ショーケースに近づいてきたお客さまの方へ去っていく。

「製菓用語じゃない、とすると何かしらね」

少しずつ人の増えてきたフロアを見ながら、私は考える。こういう場所で、あの言葉は使われた。だとすると。

「もしかしたら、隠語でしょうか」

「ああ、『遠方』みたいな？」

ちなみに『遠方』とは東京デパートの隠語で、お手洗いのことを指す。

「その男が、店員さんだけにわかるような言葉を投げかけたかったとしたら、共通の言葉を使うんじゃないかなと思ったんですけど」

「そうね。でも梅本さんの話だと、その言葉は相手に通じていなかったように思えるんだけど」

確かに。あのとき店員さんは、私と同じように不思議そうな表情を浮かべていたんだっけ。

「あ、でも」

椿店長は、通路の向こうからやってくるお得意様に軽く会釈《えしゃく》をして、背筋を伸ばす。

「デパートが違ったら、隠語も違うかもしれないわね」

いらっしゃいませ。店長とともにお辞儀をしながら、私は心の中でうなずく。それなら、通じると思って投げかけたのもわかる気がする。どちらにせよ、あの男は怒りながらも店員さんに対して何かを言いたかったのだ。

＊

実のところ、この小さな謎をそこまで突き詰めて考える気はなかった。ただそれが、和菓子の言葉だと思ったから気になっただけで。

なのに答えを聞いたら、もっと気になってしまった。

遅番の立花さんは、お昼の休憩から帰ってくるなり、こう言ったのだ。

「『飴細工の鳥』は、ことわざや慣用句のような言葉でした」

そんなことわざ、聞いたことがない。私が不勉強なのかと下を向きかけたら、椿店長がつぶやく。

「あら、それは初耳」

そうだったんだ。ちょっと気分が楽になったと思ったら、立花さんがさらにわからないことを言い出す。

「もともと、私が記憶していたのは人形浄瑠璃の中の台詞だったのですが。それを今、インターネットで検索してみたら、慣用句のような使われ方をしているのがわかったんです」

にんぎょうじょうるり。頭の中で、うまく漢字にならない。ええっと、確か学校で習った気がする。人形で演じる浄瑠璃、ってことだよね。でも、そもそも浄瑠璃ってなんだっけ？

ここで働いていると、ときどきこうして自分の教養のなさを突きつけられる。店長や立花さんが当たり前のように話すことが、私にはまったくわからないのだ。そこでいつも不安になる。世間の人は、皆これくらいの知識を持っているのかな？　それとも、わからなくて当たり前なのだろうか。

とりあえず、私にできることは聞く勇気を持ち続けることかも。

「……浄瑠璃って、歌舞伎みたいなものですか？」

お馬鹿さん丸出しの私に、立花さんは軽くうなずく。

「楽曲がある演劇という意味では、似ています。しかし浄瑠璃は百パーセント楽曲にのって演じられるので、ミュージカルのようなものだと思ってください」

「ちなみにその演目はなんだったのかしら」

「近松門左衛門《ちかまつもんざえもん》の『女殺油《おんなころしあぶらの》地獄《じごく》』でした」

なんちゅう物騒なタイトル。ていうかホラー？　顔を引きつらせていると、椿店長が笑いながら私の背中を叩いた。

「怖がらなくていいわよ。タイトルはあれだけど、要するに油問屋の主人公の愛憎劇ってことだから」

なら「油」と「地獄」はくっつけないで欲しいです。私がつぶやくと、立花さんが笑いをこらえるように口元をふるわせていた。

「……ちなみにその台詞は、『見かけばかりで甘みのない、飴細工の鳥じゃ』というものでした」

言いながら、立花さんはエプロンのポケットから小さなメモを取り出す。

「劇の台詞では『甘み』と書いてありますが、もとの言葉では『見かけばかりで中身が伴わない、空っぽなもの』という意味だそうです。また、『飴細工』だけだと『見た目だけ似ている偽物』という意味もあるようですね」

「見かけばかりで――」

そうつぶやいた瞬間、どきりとする。その言葉が、あのお店のお菓子と店員さん、両方に当てはまることに気がついたのだ。包装のデザインがきれいだけど、味はそこまででもないお菓子。笑顔と愛想はいいけど、技術的に問題のある店員さん。だとすると、あの男は間違ったことは言っていないことになる。いや、むしろ親切なのかもしれない。私がそう言うと、椿店長は軽くうなずく。

「他の人にわからないような言い方で注意するっていうのは、ただの意地悪じゃないのかもしれないわね」

しかし立花さんは、きっぱりと首を横に振った。

「でも、結果的には販売員をお客さまの前で叱りつけて、傍目《はため》にはクレーマーのように見えていたんでしょう？　それは店のためにならないし、善意とは言いがたいと思いますね」

いい人なのか、悪い人なのか。私はあの男と店員さんの表情を思い出す。男はずっと怒っていて、店員さんは困惑しているようだった。

「その場面を見ていないから、一概には言えないけど――」

店長の声に、顔を上げる。すると今度は私の方に近づいてくるお客さまが見えた。

「怒ったり叱ったりするのって、どうでもいい相手にはあまりしないわよね」

その言葉を耳で受けながら、私はぺこりとお辞儀をする。

「いらっしゃいませ」

そして思う。私は今、このお店の制服を着て、それらしく和菓子の説明なんかしてるけど、それは見かけだけのことだ。なぜなら私の知識は店長や立花さんのように、専門分野や文学による裏付けなんてないから。

ただ、教えられたことを鵜呑《うの》みにして、喋っているだけ。

「初釜の季節ですので、こちらが――」

飴細工の鳥は、私だ。

＊

最終学歴は高卒。得意科目もなければ、専門知識も資格もない。あるのは食欲と溜め込んだ脂肪だけ。

私は履歴書にもお見合いの釣り書きにも、なんにも書くことがない。というか、なさすぎていっそ笑える。

（飴細工どころじゃあ、ないか）

だって見かけすらどうにもなってないしね。二回めの休憩時間、そんなことを考えながらお茶を飲んでいたら、バックヤードのドアがノックされた。

「休憩中、ごめんね」

ドアから顔をのぞかせた立花さんが、シフト表を指さす。

「ね。今度のお休み、かぶってるよね？」

「ああ、そういえばそうですね」

「あのさ。もしヒマだったら、一緒に中華街に行かない？」

「……は？」

いきなり何を言いだすのか。私は思わず、眉間に皺《しわ》を寄せたまま立花さんを見上げた。和菓子に関連することならわかる。あるいは、和に限らずお菓子に関するものごとを見に行こうというお誘いなら。だって私はアルバイトとはいえ、一応同僚だから。

なのに、なぜ中華街⁉

「実はねー、今朝寝坊しちゃって、朝ご飯がコンビニのあんまんだったわけ。で、ふっかふかの中華まん見てたら、アンちゃん思い出しちゃって！」

立花さんが長い手をすっと伸ばして、私のほっぺたをむにゅっと摑む。

「うわあ、やっぱり今日もふかふかだね」

だからその、売り場との落差のある態度はどうなんですか。そう言おうにも、うまく喋ることができない。

「ふぁふぁで、わるかったれすね」

「ね、アンちゃんのお友達を一緒に食べに行こう？」

アンちゃんと一緒だと、何倍もおいしい気がするんだもん！　そう言いながら、立花さんは微笑《ほほえ》む。

言い忘れてたけど、立花さんはゲイじゃない。ただの乙女だ。

だから女の子の友達を誘うように私を誘ってくれるのだけど、私はできることなら、彼と一緒に歩きたくない。だって見た目が、違いすぎるから。

ただ、乙女は私のお母さんと同じように、女子のツボを心得てる。

「それにほら、もうすぐ旧正月だし」

「旧正月？」

「中国では、旧暦の一月が正式なお正月なんだよ。初釜と一緒。それってまさに来週あたりでしょ」

だからその旧暦カレンダーは、私の頭には入ってないんだってば。

「屋台や大道芸が一杯出て、楽しいよう。おまんじゅうだけじゃなく、焼き小籠包《シヨウロンポウ》や熱々の麺、もちろん飲茶《ヤムチャ》もしたいよね！」

「それは――」

したいかも。

「とろっとろの東坡肉《トンポーロー》に、ぷりっぷりの蝦《えび》餃子！　むちむちのパールミルクティーも欠かせないよねえ」

ね、行くでしょ？　と言われて、私はついこくりとうなずいてしまう。

だから、こういうお誘いを断れるようなら、私は今頃こんなサイズじゃないんだってばー！

*

辺りに、銅鑼《どら》の音が鳴り響く。

「あ、見て。ドラゴンだよ」

布でできた竜が、身をくねらせながら金の玉を追う。その流れるような動きに見とれていると、今度は獅子舞が現れた。

「やっぱり日本のとはちょっと違って、リアルだね」

全身が柔らかそうな毛に覆われたお獅子は、動きもかなり猫っぽい。それを見て、私はしみじみとつぶやく。

「……日本は、身体がふろしきな時点で何か違うと思います」

それを聞いた立花さんが、身体を震わせる。

「あ、アンちゃん！　だからその冷静な突っ込み、やめてー！」

「私、小さい頃から不思議だったんですよ。なんで『獅子』なのに身体が布？　とかそれもなんで唐草模様？　とか、突っ込みどころ満載で」

ついでに言うと、なんで日本のお獅子の頭は木で出来ているんだろう。かぶって踊るには、重すぎると思うんだけど。

「それに木の頭に布の身体って、重量差ありすぎですよね」

「だーかーらー！」

身をよじって笑う立花さんを横目に、私は携帯電話のカメラ機能で獅子舞を撮った。

「でも、なんだかちょっと悔しいですね」

「ん？　なんで？」

「だって日本の文化って、結局もとを辿ったら中国に行き着くような気がして」

和菓子だって、唐菓子《からがし》の影響なしには語ることが出来ない。そもそも、中華まんがあるからこそおまんじゅうだって生まれたわけで。

「全部あっちが元祖、って言われてるみたいで」

儒教も、漢字も、みんなみんなそう。近いから、文化が混じり合うのは当然だってことはわかってる。でも、じゃあオリジナリティってなんだろう？　日本らしさって？

つぶやく私の目の前に、立花さんが両手を突き出す。そしてふわっと、子供がお遊戯でするようなチューリップの形を作った。

「包み込むこと」

「え？」

両手が、空気を優しく包む。

「僕が思う日本らしさは、包み込むこと。相手を尊重して、いいところはどんどん受け入れる。それもただ真似するんじゃなくて、自分たちなりのアレンジを加えて包む。それってすごく素直でのびやかな感覚だと思うんだけど、どうかな」

目の前で、獅子舞が跳ねる。じゃん、という音と共に、両手のチューリップがぽん、と開いた。

「おいしいな、とかいいなと思って、それを自分の知ってる人にも教えてあげたくて、文化って伝わるものでしょ？　悪いものが伝わったら悲しいけど、そうじゃないならウェルカムだよ。だって、日本はそれを受け止める力があるんだから」

「受け止める、力……？」

「日本古来の神様は、八百万《やおよろず》の神々。どんな神様だってウェルカム。懐《ふところ》が深いよねえ」

だってほら、ウェルカムしたおかげで、おいしいものがいっぱいだよ？　通りの先にある屋台を指さして、立花さんは微笑む。

見た目が今どきの男子で、中身が乙女の立花さん。でも彼は、飴細工の鳥じゃない。そんな立花さんの隣に立っていることが、私はいつも以上につらくなる。

だって私は、何も持っていないくせに妬《ねた》むことだけは一人前。あだ名はあんこでも、中身のない空《から》のおまんじゅうみたいなものだ。

（せめて飴細工の鳥みたいに、外見だけでもきれいだったら良かったのに――）

そこまで考えて、私はふと単純な事実に思い至る。

飴細工の鳥は、空っぽなんかじゃない。


「パソコンの動画？」

小籠包の焼き上がりを待つ間、私はそのことを立花さんに告げた。

「はい。飴細工職人さんの手仕事は、色々なサイトで動画として紹介されてました。でも、それを見る限り、飴細工は空洞なんかじゃなかったんです」

白くなるまで練った熱い飴を、棒に巻きつけ、素早く形作ってゆく。その工程では、中が空になることはない。

「なのになんで、ことわざでは『中身がない』ってことになるんでしょうか」

「うーん。確かに言われてみると、飴細工は空洞じゃないね」

「言葉通りじゃないとすると、何を意味してるんでしょうか」

そう問いかけると、立花さんも首をひねった。

「鳥のモチーフで、空洞になるものがあるとか？　でもそれだったら、固有名詞をつけるよね。『飴細工の千鳥』とか『飴細工の鶴』とか」

「見かけだけ似ている、という意味だったら、特に飴に限定する必要もなさそうですよね」

焼き上がった小籠包を受け取り、慎重にはじっこを噛みちぎる。すると、熱々のスープが飛び出してきた。

「熱っ！」

口元を押さえる立花さんに、私は食べ方を伝授する。

「下の方を噛むから、スープに攻撃されるんですよ。パオの天井を開けないと」

「ああ、ほうういうこと」

確実に舌を火傷《やけど》したっぽい喋り方。そこで私は、立花さんを連れてパールミルクティーの屋台に向かった。冷たくて甘くて、ついでにきゅむきゅむするタピオカの入ったデザートドリンクは、口の中を冷やすのにもってこいだ。

「はー、人心地」

ミルクティーのカップを片手に、次は何を食べようかと大通りを流す。するとごく小さな屋台に、子供が駆け寄っていくのが目に入った。

「あれ、『飴』って字じゃないですか？」

漢字で書かれたのぼりに、それらしい文字が躍る。近づいてみると、そこには金茶色のつややかな飴細工が並んでいた。

「これ、中国の飴細工だね」

ぷっくりとしたデザインが可愛くて、台の上を覗き込む。そこで私は、刺さっている棒がカラフルなストローであることに気がついた。もしかして。

「あ、実演してくれるみたいだよ」

子供のリクエストに応じて、おじさんが箱から飴の固まりを取り出す。そしてストローの先にそれをくっつけたかと思うと、くるくる回しながら息を吹き込みはじめた。

これ、どこかで見たことがある。おぼろげな記憶を探ると、夏に行き着いた。

「――風鈴、作るのと同じですね」

私の言葉に、立花さんがうなずく。

「吹き飴だよ」

「吹き飴？」

「うん。中国の飴細工は、アンちゃんが言ったみたいにガラスと同じ、吹いて形を作るものが多いんだ。だからぷくぷくしてて、可愛いんだよ」

そこで私は、ようやく思い至る。中国の飴細工。ということは、日本よりこっちが古いはず。そしてこの、吹いて作る形――。

「これ。これが語源なんじゃないですか？」

「え？」

「見た目ばかりで、中身は空っぽ――これを見れば、ああそうかって思えます」

「あ！　ホントだね」

職人さんの手元を見ながら、立花さんが身をよじる。

「やだもう。自分は吹き飴細工のこと知ってたのに、ぜんぜん思いつかなかった！」

さすがアンちゃん！　立花さんの声に、私は首を横に振った。

「立花さんや椿店長の知識があってこその、答ですって」

だって私の中身は——そう、つぶやきかけたところで立花さんが私の頭に手を載せる。

「違うよ」

「え？」

「知識だけじゃダメ。それと目の前のものを結びつけることができなきゃ、それはただの情報。アンちゃんみたいに、自分で考えて答に近づいていくのがいいんだ」

ぽんぽん、と軽く撫でられた。鼻先をかすめる、温められた飴の香り。

「あ、ついでに僕も思いついたよ」

「何をですか？」

「『飴細工の鳥』っていう発言には、きっともう一つ意味があったと思うんだ」

ことわざの他に、何が。そうたずねると、立花さんは微笑む。

「それを言った男は、きっと相手にアンちゃんみたいになってほしかったんだよ」

「私みたい？」

それって体重を増やせとか？　自虐的な冗談を口にする前に、立花さんはお財布を出して飴細工を二つ買った。

「だってその言葉、相手に通じてなかったんでしょ？　てことはその店員さん、知識の上でも『飴細工の鳥』だったんだと思うよ」

それこそ、私と同じだ。しかし立花さんは続ける。

「わからなそうな相手に、難しい言葉を投げかける。それって自分で調べてみろ、っていうことじゃないかと思うんだよね」

謝謝。職人さんが笑う。立花さんは受け取った飴細工の一つを、私に差し出した。それは、ぷっくりとお腹のふくれたうぐいす。

「自分で調べることが、学びの第一歩だもん」

私はうぐいすを見つめながら、こくりとうなずく。

いいのかな。中身が空でも、ここから詰めていけばいいのかな。

遠くで、銅鑼の音が響く。

おめでとう、おめでとう。ここは今が、お正月。だったらここで誓うことを、今年の抱負にしてもいいよね。

「立花さん、お願いがあるんですけど」

「なあに？」

「今度、私にも読めそうな和菓子の本を教えてください」

見える。

もちろん！　とうなずく立花さんの向こうに、肉まんの屋台の湯気がじんわりとにじんで

新年のお菓子を覚えるために、これだけは知っていた。

うぐいすの別名は、春告げ鳥。

勉強が苦手な私に『サクラサク』の通知は来なかったけど、好きなお菓子をきっかけにすれば、なんとかなるかもしれない。

いつか。いつか何かを咲かせられますように。

私は小太りの小鳥に、そっと祈りを捧げた。

＊

ピンク、青、緑、赤、黄色。カラフルな紐つきの房《ふさ》を持っている人が、集まってくる。何かの飾りだろうか。そう思って見ていると、今度はさっき遠ざかったドラゴンが通りの向こうからやってきた。

「ところで『包む』で思い出したんだけど、帰りにカフェでクレープ食べてかない？」

ドラゴンのダンスを見ながら、私はうなずく。中華っぽいものばかり食べていたので、ち

よっと洋風の甘いものが恋しい。

「塩バターキャラメルに、アップルシナモンを追加、かな」

私がつぶやくと、立花さんが激しくうなずいた。乙女の味覚に、鎖国は存在しない。

「飲み物は絶対、アールグレイ！」

「じゃなきゃくるみクリームチーズに、メープルシロップがけ」

「これはコーヒー。もう絶対ブラックコーヒー！」

うねるように近づいてくるドラゴン。その両脇に、飾りの房を持った人々が集まる。

「そしてそのどちらにも、アイスクリームは必須です」

「ああんもう、センスよすぎー！」

立花さんがそう叫んだ瞬間、私たちの目の前で火花が散った。

ばばばばばばん！

「な、なにっ⁉」

ばちばちばちばちばちっ！　鼓膜が破れそうなほどの音が、足もとで弾ける。爆竹《ばくちく》だ。

「きゃあああっ！」

その場で耳をふさいで、しゃがみ込む立花さん。立ったままの私。もくもくと湧き上がる煙の中で、仁王立ちの手に飴細工の鳥。私は空いた方の手を、立花さんの頭に軽く載せた。

「大丈夫ですよ。爆竹です」

「ふ、服とか燃えてないっ⁉」

「燃えてません」

「鼓膜破れてないっ⁉」

「破れてたら、会話できませんってば」

いつもだったら決して手の届かない高さに触れながら、私はくすりと笑う。

「アンちゃん！　生きてる⁉」

はいはい。生きてますってば。

トマどら

日明 恩

日明　恩
たちもり・めぐみ

2002年、『それでも、警官は微笑う』で
メフィスト賞を受賞。
作品に『ロード&ゴー』『埋み火』『鎮火報』『ギフト』
『そして、警官は奔る』など。

贈り物が、すべてありがたいものとは限らない。

送り主が誰であれ、自分の嗜好におよそ合わない旅土産《たびみやげ》の置物や衣料品や食料品など、はっきり言って迷惑このうえない。立場上、ありがとうと笑顔でお礼こそすれ、本心では勘弁してくれと思う。

では、嗜好に合ったものならば嬉しいかと言えば、一概にそうでもない。

たとえ本人が要望したものでも、量が多ければやはり困る。とりわけ食料品ともなれば、賞味期限の問題も発生する。

大きさの割に重みのある白い紙箱を前に、私の心は沈んでいた。中身は判っている。十二個のどら焼きだ。

甘い物は好きだ。だとしても、賞味期限が製造日から三日のどら焼き十二個は、大食漢ではない独り身の私には多すぎる。職場の同僚に勧めれば、ものの数秒でなくなるだろう。規則的な食事時間が捻出しづらいうえに、デスクワークもするが外に出回ることも多く、さらには三交代で当直もあるのだから、警察官は基本的に飢えている。実際、今も物欲しそうな視線は感じている。視線の送り主へとちらりと目を向ける。齢《とし》こそ一つ下だが、学年は一緒の五条《ごじょう》が、さっと目をそらした。

「あれって、無料《ただ》で貰ったものでしょう？」

「あれって、ああ、ぴょんの例のやつか。――らしいな。なんだ欲しいのか？　だったら、一つくれって言ってみたらどうだ？」

「嫌ですよ。無料じゃくれないのは知ってますから」

五年先輩の松原《まつばら》がからかうように言うのに、五条が即答する。

私に聞こえないように、ひそひそ話をしているつもりらしいが、しっかりと聞きとった。私が地獄耳だからではない。声をひそめても相手に聞き取れるように話すのは刑事の特性だ。

ぴょんというのは配属早々に松原がつけた私のあだ名だ。私の氏名は宇佐見圭《うさみけい》。苗字の宇佐見は音として兎に似ている、兎はぴょんと跳ねる、だからぴょんになったらしい。

「ぴょんなんて可愛らしいあだ名が似合う奴じゃないですよ。動物にたとえるのなら、タスマニアデビルですね」

私のあだ名について五条が松原に異論を唱えた。

「見た目は大人しげだけど、やたらとどう猛じゃないですか、宇佐見って」

五条の私への評価は、どう猛な小動物らしい。身長一六五センチ、体重五十一キロと男性としては小柄だから、小動物にたとえられるのは仕方ない。だが、実際は一六五・六センチなのに四捨五入で一六六センチだと言い張る五条が、六ミリしか変わらない私をそう称するのはいかがなものかと思う。そもそも、私は決して喧嘩っ早くはない。それに暴力込みの喧嘩など、生まれてこの方、した記憶がない。

「この前のネット詐欺《さぎ》犯への言いっぷりなんて」

「あー、ありゃすごかったな」

二人は、入手困難なアイドルのコンサートチケットの転売詐欺をネットでしていた青年グループの取り調べに、私が立ち会ったときのことを話し始めた。

「今までの詐欺で得た金額と、この先得られなくなった総額をきっちり計算して突きつけたんでしょう」

三人組の大学生の犯人が偽造チケットを多数の被害者に売って得た総額は三百五十万円。捕まって大学は退学となり、前科がついた。大学中退の前科持ちを採用する大手企業は少ない。それなりの企業で定年まで勤めた場合と、日雇い、またはアルバイトで得られる一般的な年収掛ける定年までの年数の生涯収入を割り出して、私は彼らに提示した。

「『たかだか三百五十万、一人あたり百十六万ちょっとの利益のために、最低でも二千万以上の損をしたわけですね』、でしたっけ」

私が犯人達に言った言葉を一言一句違《たが》えずに五条が言った。

「でもまぁ、あれは斬新というのか、判りやすいっていうのか、実際に数字を持ち出されたら、真面目に生きた方がいいって気づくよな」

松原の声には五条と違って棘《とげ》はない。七年の刑事経験を持つ松原ともなると、私の考え方に賛同してくれるようだ。

「確かにそうですけれど、でも、損得を考えて犯罪をするのはよせって言うのは」

五条にとって、犯人に伝えるべきは「法を破るような悪いことはしてはいけない」らしい。刑事ドラマに触発されて刑事を目指して警察官になった熱血漢の五条らしい意見だと思う。だが、根本的に間違っている。そもそも、法は破ってはならない。これは子供の時に親から、そして自ら社会の一員として生きていく中で身につけておくべき最低限の倫理観だ。それを無視して金銭的な利益のために犯罪を犯した犯人相手に、今さらものの善悪を説いたところで、改心するとは私には思えない。

数字は正直だ。だからこそ正しい。それが私の揺るがないポリシーだ。利益のために犯罪を犯した相手ならば、捕まって生じる損失を見せれば、自分のしでかした愚かさを痛感する。数で考える人間には数を見せれば理解する。そもそも我が国のみならず全世界的に刑罰は犯罪に見合った年数や罰金という数字に換算される。私が彼らにしたことは、その延長線上にあることに過ぎない。

「そりゃ、ちょっとは爽快だなって僕も思いましたよ。でも、あんなに落ち込んでいる犯人を見たのは、初めてです。あそこまで相手を追い詰めるなんて、どう猛以外の何ものでもないですよ。タスマニアデビルですよ、タスマニアデビル」

もしかしたら五条は、ただ語呂が気に入ったタスマニアデビルという言葉を連呼したいだけなのかも知れない。

「呼びづれぇよ。宇佐見が兎でぴょんでいいじゃねぇか」

自分のつけたあだ名が気に入っているらしく取り合わない松原に、五条は諦めたのか話を戻した。

「そんなことより、あのどら焼き、無料で貰っているのなら、くれたっていいじゃないですか。ケチですよね」

どう思われようが、私は無料で分け与えはしない。無料で貰ったからといって無料で分け与えたら、どら焼きに価値がなくなってしまう。だから欲しいと言う相手からは、必ず代金を貰っている。

「でも、あいつの懐《ふところ》に入るわけじゃないしな」

「寄付してるのは、僕も知っています」

受け取った代金だけでなく、自分が食べた分も、私は寄付している。

「先月なんて誰も貰いに行かなかったから、丸々一箱分、寄付してました」

五条の言うとおり、先月は一人ですべて食べた。果物入り二百四十円×六個＋定番二百円×六個、消費税も含めて、二千八百五十一円を寄付した。

「税金控除の対象になるからって、毎回、隣のビルの郵便局で領収書出して貰ってるって、窓口の女の子から聞きました」

震災被害への支援が息長く続くことを望んで国が作った寄付金控除を利用して何が悪い。そもそも、どら焼きの代金だということを除けば、私はただ寄付していることとなる。それを悪く言われる筋合いなどない。

とは言え、警察官の給料は他人が思うほど高くない。十二個入りのどら焼きは、一カ月に一度届けられるだけに、その都度三千円弱の出費はけっこうな負担だ。

正直、断りたい。もう、結構ですと辞退したい。だがそうしない、いや、出来ない理由がある。

箱の蓋に手を掛ける。セロファンに包まれたどら焼きが、六個ずつ縦二列、箱に詰まっていた。その上に白い封筒が乗っている。何が書かれているかは開けずとも知っている。明朝体のワープロ文字で書かれた簡単な時候の挨拶と今回の果物どら焼きの説明だ。

封筒を脇に除《の》けた私は、右側の一つに手を伸ばした。左の列は定番で中に入っているのは小豆餡《あずきあん》のみ、右の列が果物入りだ。前回はでこぽんだった。今回は何だろうと思いつつ、セロファンを開いてさっそくかぶりつく。数回咀嚼《そしやく》して、私は顎を動かすのを止めた。そして、断面に見入った。

◇

どら焼きが私のもとに届くようになったきっかけは、昨年の十月に遡《さかのぼ》る。それまで住んでいた寮の老朽化に伴い、中央区の勝どき寮への引っ越しを終えた私は、周辺の散策中に一軒の和菓子屋を発見した。木造の店はさほど大きくなく、藤吉《ふじよし》と店名が書かれた木製の看板も建物同様に古い。これぞ下町の和菓子屋という外装に、思わず足を止めた。ショーケースに並んでいたのは大福やどら焼きなど、至ってシンプルな商品ばかりだ。

商品の種類の少なさは自信の裏返し。これが私の飲食店の評価法だ。間違いなく美味しいはずだ。その読みはみごとに的中した。塩豆大福は餅と小豆餡と豆の量、そして甘さと塩加減のバランス、さらに一つ百二十円という価格のどれも私の理想通り、まさにパーフェクトだった。

さらにどら焼きの美味しさときたら。蜂蜜入りのしっとりしたカステラ生地に甘さ控えめの十勝産の小豆餡が挟まれた定番はもちろん、季節ごとの果物を餡に挟んだ果物どら焼きの美味しさは、私の二十七年の人生史上、他に類を見ない至高の一品だ。

果物が入っているどら焼きというと、餡自体に果物を練り込んだものや、生クリームと合わせたものが多い。もちろんそれはそれで美味しい。だがこの店は、あくまで基本のどら焼

き の中に果物が入っている。生の苺は丸ごと一つ、でこぽんやいよかんも皮を剝《む》いた大振りの一房が生のまま、林檎や金柑は軽く火を通したものなどが、果物本来の味や食感を極力損なわないように、どれも薄い飴衣《あめごろも》でくるまれて入っているのだ。

餡と果物を挟んだどら焼きは、ふっくらと厚みがある。あえて手で割らずにかぶりつくと、柔らかい皮と小豆餡の次に、一瞬だけ飴のぱりぱりとした食感が来る。直後に飴に閉じこめられていた果物の酸味のあるみずみずしい果汁が溢れ出るのだ。そこからは小豆餡とカステラ生地と果物の入り交じった三位一体の味のハーモニーが口の中を満たす。人生の中で至福という言葉を使えるときはそう多くない。だが私は思った。これが至福だと。

それ以来、少なくとも週に一度は藤吉に通い、季節の果物どら焼きと定番どら焼きを一つずつ買うのが私の習慣となった。

店に通う男性客は珍しくない。だが多くが家族への土産や贈答用で、それなりの個数を買っていく。そんな中、常にどら焼きを二つ買っている私は記憶に残ったのだろう、十一月も中頃には女性店員と会話を交わすようになった。

大福を思わせるような白くて丸い顔の店員、店主の妻の藤吉妙子《たえこ》は、印象に違わぬ柔らかく素朴な声の持ち主だった。その声が心地良く、いつしか私は店について色々な情報を得ていた。

店を始めたのは夫の両親。姑《しゅうとめ》は二十五年前に他界。その後、舅《しゅうと》と夫の二人が和菓子を作って自分が接客を担当していたが、十年前に舅が心筋梗塞を起こして一線を退いた。夫婦の間には娘が二人いて、長女は家を継ぐべく製菓学校を卒業し、今は夫とともに和菓子を作っている――。

話し好きらしく、自発的に店の事情を語った妙子は、今度は私について知りたがった。広島から単身上京してきた次男で独り身の二十七歳だと答えたとたん、妙子は身を乗り出してきた。

長女の文子《ふみこ》は三十七歳にして未だ独身だそうで、家業を手伝ってくれていることには本当に感謝しているが、朝から晩まで顔を合わせるのは両親のみという生活を続けていては満足な出会いもなく、先行きが不安だ――。

これはもしや、長女の売り込みだろうか？　文子の年齢は三十七歳。対して私は二十七歳。年の差は十、小学校どころか中学校の記憶すら被らない年齢差となると、さすがに戸惑いはある。とはいえ男女の平均寿命を考えれば、大した問題ではない。それに私は独身で、付き合っている女性もいない。紹介されるだけならば、断る筋合いもない。

「あなたのお知り合いとか職場で、どなたか、いらっしゃらないかしら？」

――だよな。

先走りすぎた考えに、我ながら恥ずかしくなる。その負い目もあって、迂闊《うかつ》にも私は「そう言えば、お仕事って伺っていなかったですよね？」という問いに「警察官です」と、あっさり答えてしまった。

警察官は勤務外の場で職業名を公開しない者が多い。個人的に相談を持ちかけられても、いち個人の警察官に扱えることは限られる。内容が勤務先や所属に運良く該当すればともかく、それ以外は対応できないからだ。だが無下《むげ》に断りでもしたら、職場に注進されて始末書の一枚も書かねばならない恐れもある。他にも、意味もなく煙たがられたり、逆に必要以上の興味を持って注視されることもある。

協力を仰ぐために、警察の活動を広く知って貰うのは大切なことだ。だからといって民間人に公開出来ない情報は多い。なにより休日くらいは羽を伸ばしたい。だから警察官は不用意に自分の職業を明かさない。だが迂闊にも私は答えてしまった。

「警察官でらっしゃるの？」

聞いたとたん、妙子がショーウィンドウからさらに身を乗り出してきた。この食いつき方は危険だ。ここは逃げるに限る。残念だが今後は店に寄るのも控えた方がよいだろう。

——さようなら、至福のどら焼き。

決意して店から出ようとした矢先、「実は、困っていることがあって」と妙子に言われた。恐れていた流れになったことに私は焦った。

「警察官と言っても、違うんです」

私が警視庁の警察官であることは事実だ。だが世間がイメージしている制服を着て交番にいたり、ツートンカラーのパトカーに乗っていたり、ミステリーでおなじみの刑事だとか、機動捜査隊員だとかではない。では事務職員かというと、それもまた違う。私は特別捜査官――財務捜査官なのだ。

犯罪抑止と事件解決、さらには犯人検挙のために、警視庁は特定の分野において専門的な知識及び能力を備え、一定の資格や民間等における職歴や経験を持つ人を採用するようになった。それが特別捜査官だ。ちなみに現在は財務捜査官、科学捜査官、コンピュータ犯罪捜査官、国際犯罪捜査官の四種類のみで、全員合わせても百名にも届かない。

特別捜査官が警察官であることに変わりはないが、やはり一般採用の警察官とは違いがある。実感した一番の違いは人脈、同期の繋がりだ。一般の警察官は地方公務員Ⅰ、Ⅱ、Ⅲ類、あるいは国家公務員Ⅰ、Ⅱ種の試験で入庁し、半年から一年、警察学校に通う。毎年、総勢千七百名強が、いわゆる同じ釜の飯を食べ、苦楽を共にした仲間となる。とうぜん同期の繋がりは深い。だから自分の管轄外の相談でも、同期の中に誰か一人くらいは該当者がいるから紹介することは出来る。だが特別捜査官は、毎年採用があるわけではない。実際、私の同期は米国の有名企業のSEから転職してきたコンピュータ犯罪捜査官の篠宮《しのみや》一人だ。

「相談に乗っていただけませんか？」

私の声が届かなかったのか、妙子はショーウィンドウの奥から出て来てしまった。

私を介そうが介しまいが、法に則《のっと》った解決を求めているのなら、担当者でなければ無理だ。直接、派出所か警察署に出向いて、相談して貰うのが一番だ。そう言おうと口を開きかけた私に、「本当に困っているんです」と妙子が言った。今まで一度も見たことのない深刻な影に覆われた顔と、絞り出すような声に完全に気圧《けお》されて、結局、私は話を聞かされることになった。

相談というのは、次女の里香《りか》のことだった。長女と十一歳離れた二十六歳の里香は、美容師の専門学校を卒業し、今は雑誌やTVでも活躍しているヘア・メイクアップ・アーチストの助手をしているという。

「悪い男を好きになってしまって」

その手の相談が一番困る。悪いの種類が法に触れる犯罪者ならば、対処のしようもあるが、心証ならばどうしようもない。

「悪いと言うと？」

「バーのウェイターなんですけれど、すっかり入れ上げてしまって」

珍しくも何ともない、よく聞く話だった。妙子の話をかいつまむと以下の通りだ。新大久保にあるイケメン韓国人男性ばかり働くそのバーは、キャバクラやホストと同じく、ウェイターにはお客からの指名料が発生するシステムで、人気上位ならウェイターの時給が上がり、下位だと下げられるという。その店のウェイターの一人に、里香はすっかり入れ上げてしまって、給料を全部つぎ込むだけでは足りず、最近では親に借金を申し込んでいる。

——これは困った。

私は心の中で頭を抱えた。相手は商売人で里香は客だ。ウェイターも里香も成人に達しているだけに、どちらも自己責任の範疇《はんちゅう》だ。

「お金は、貸しているんですか？」

もっとも今回のようなケースでは、まず借用書など存在していないだろうが、一応、確認する。

「貸してはいないらしいんですけれど。お店で払う代金だとか、プレゼントとか」

エアコンや洗濯機やTVが壊れて困っていると言われる度に、里香はプレゼントと称して男に買い与えたそうだ。

——そのパターンか。

恐らく男は複数の客に同じことを言い、買って貰った電化製品を転売して金に換えているに違いない。

「最近では、相手の親が病気になってしまって、月に何度か韓国に帰らないとならないけれど、渡航費がないって言われて、飛行機チケットも買ってあげていて」

——ますます怪しい。

だがこちらは問題解決の一つの糸口になる。品物は同じ物があれば、里香に買って貰った物だと言い抜けられるが、飛行機チケットとなれば、パスポートを確認すれば、本当に帰国したか判る。出入国の記録がなく、男が嘘を吐《つ》いていたと判れば、里香の熱も冷めるかもしれない。

――いや、待てよ。

こちらも複数の客に頼んでいて、一枚だけを使用している可能性もある。だとしても、確認して損はない。思いつきを妙子に伝える。とたんに妙子の顔が明るくなった。

「お願いしてもいいですか？」

「それは――、管轄が違うので」

地域課員や機動捜査隊員や刑事でなくても、職務質問は出来るが、私の立場で理由もなく個人のパスポートチェックなど、さすがにし辛い。

「娘さんが、本人に聞いたらいかがですか？　はぐらかすようなら嘘だと判ることですし」

「私の話になんて、一切、耳を貸さないんです。お願いです、どなたかに頼んでいただけませんか？」

一筋の期待にすがるような顔で妙子に詰め寄られて、私はたじろいだ。

店の管轄区の警察署に頼むことは可能だ。だが私には直接頼めるような気のおけない同僚はいないだけに、申し訳ないが確約は出来ない。運良く人を通じて確認して貰うことが出来たとしても、いつになるかは判らない。

その旨伝えると、妙子の表情はまた暗く沈んだ。その落ち込みように、さすがに申し訳なく思い、何か他に手はないか考える。

そして閃《ひらめ》いた。相手の男一人と考えれば難しいが、店員全員、店ごとならばまた別だ。従業員の全員が韓国人ならば、管轄署の生活安全課や入国管理局が定期的に滞在資格などを確認する。その際にはパスポートのチェックもしているはずだ。

「そのときならば、確認出来ますね」

私の言葉に、妙子は少しだけ明るさを取り戻した。それで会話を終わらせても良かったが、期待を裏切る可能性があることを、私は隠しておけなかった。

「ただ、何時《いつ》になるかは判りません。それに本当に渡航記録があったら」

「――そんな」

妙子の顔がまた曇る。

「お母さん、お客さまが困ってらっしゃるわ」

そのとき奥のガラス戸が開いた。白い作業着と作業帽に身を包んだその女性が長女の文子だろう。初めて見る文子は、母親に良く似た大福を思わせる雰囲気の持ち主だった。

「だって、文子――」

「本当に、母が申し訳ございません。ご注文はもう？」

ショーケースの上のどら焼きに気づいた文子は、すばやく紙袋に入れた。私が財布を取り出すと、「お代は結構です」と妙子が言った。

そんなことをされては、今後、店に来づらくなる。そもそも警察署で相談すれば、礼など不要だ。どら焼き二つ、四百七十五円でも賄賂《わいろ》は賄賂だ。払う、払わないの押し問答の末、ついに私は「立場上、困ります。払わせて下さい」と言った。

「お母さん、いただきましょう」

その場を収めたのは文子だった。不服そうに会計をする妙子をよそに、文子は作業着と作業帽を取って、どら焼きの入った袋を手に取り、一足先に店の外に出た。

よろしくお願いしますと妙子に何度も頭を下げられて、恐縮しきった私は、釣り銭を受け取ると早々に店の外に出た。

「母が無理を言って、申し訳ございませんでした」

動きやすそうな白い長袖のTシャツにジーンズ姿の文子が、深々と頭を下げた。

「いいえ、そんな。というより、まだ何もお役に立てていないですし」

「母も安心したと思います」

「でも、何時になるか判らないですから。無責任なことを言ってしまってすみません。あの、よろしかったらこれ。何かありましたら、こちらにご連絡いただければ」

無理なものは無理だときちんと断り切れなかった自分の弱さと、再び深々と頭を下げた文子に申し訳なく思った私は自分の名刺を渡した。

「ありがとうございます」

文子は受け取った名刺を掲げて、三度《みたび》頭を下げた。

「不法滞在とか密入国とか未成年者でも働いていれば、すぐさま取り調べに行くと思うのですが、そうでないとなると」

なんともなしに話し続けていると、妙子の「いらっしゃいませ」という声が聞こえた。店に親子連れが入ろうとしていた。

「すみません」「あ、いえ、こちらこそ」

最後は二人とも何度かぺこぺこ頭を下げて、その場は終わりとなった。

再び私が店を訪れたのは年が明けて二月になってからだった。十二月一月は年末年始で忙しくてそれどころではなかったが、二月に入って時間的な余裕が出来たとたん、我慢できなくなったのだ。

どら焼きの果物は何だろうかと、足取りも軽く店に入った私を見るなり、妙子の顔がぐしゃりと歪んだ。目からは涙が流れ落ち始めている。何事かと思った私は、妙子の話を聞いた。

あれから一週間後、不法滞在の未成年が働いているという通報のもとに、問題の男が勤める店に捜査の手が及んだ。そして男は在留期限切れが発覚し、退去強制になった。

退去強制になったところで、二度と日本に戻れないわけではない。原則として五年間は入国できないが、五年経てば、また日本への入国は認められている。五年もあれば里香の熱も冷めるだろう。もしも関係が続いたのなら、それはもう諦めるしかない。

ともあれ、現時点では里香と男の縁は切れたのだ、ひとまずよかった。私はそう思った。だが妙子の話は想像外の方向へ、すごい勢いで転がっていった。

退去強制となっても、確保された当日や翌日に帰国となるわけではない。入国警備官の違反調査ののち四十八時間内に入国審査官に引き渡され、その後、入国審査官が容疑者を口頭審理する。これでいよいよ退去となるかというと、まだだ。容疑者が認定に異議があるときは、判定通知の日から三日以内に特別審理官に対し、口頭審理の請求をすることができる。異議の申出に理由があり、退去強制事由がないと裁決された場合には、直ちに容疑者は放免される。

男は異議を申し立てた。理由は、既に藤吉里香と婚姻しているから、だった。実際に結婚届は提出されていた。ただし、提出日は店に捜査が入った翌日だった。

偽装結婚は在留特別許可の悪用の最たる方法だ。届け出日が捜査の翌日だということもあり、念入りに調査が行われた。だが男の署名は偽造ではなく本人の物だった。さらに「署名捺印入りの結婚届を二カ月前に渡され、預かっていた。私が早く提出していれば、こんなことにはならなかった」という里香の証言が後押しした。異議申し立ては認められ、男は退去強制を免れた。

結局、里香と男は結婚した。それならそれで仕方ないと、両親は二人を迎えるつもりでいた。だが里香は二人で暮らすと電話で伝えたきり、そのまま姿を消したという。

「反対はしていましたよ。でも結婚したのなら、認めようって、お義父《とう》さんも夫も心を決めたのに」

妙子が口にした人物の中に、文子の名はなかった。

ちらりと店の奥のガラス戸に目を向ける。ガラスを通して白い作業服の人影が見える。

「あれからまったく連絡がなくて、どうしているのか心配で」

妙子はそのまま泣き崩れた。

静かにガラス戸が開いて、中から文子が現れた。文子は妙子の肩に手を掛けると、そっと店奥へと促した。その仕草は手慣れていた。既に何度となくしてきたのだろう。

「申し訳ございませんでした」

穏やかな表情で文子が言った。その顔を私は見つめる。

「今日は何に致しましょうか？　果物どら焼きは林檎です」

文子は視線をそらせると「二週間前までは金柑だったんですよ。私としても会心の出来で、ぜひとも召し上がっていただきたかったです」と続けた。

私は何も言わずに、文子を見つめていた。

「林檎のあとは苺です。でも今、レモンの試作をしていて」

「通報したのは、あなたですね」

文子の早口は、私の言葉で途切れた。

一時間後、私は駅前のコーヒーチェーン店にいた。差し向かいの文子は硬い表情で俯いている。

「里香さんのことを、心配されていないようにお見受けしたのですが」

妙子は里香を案じて涙に暮れていた。だが文子は里香を案じているようには、私にはまったく見えなかった。

「――あの子は」

絞り出すような声で文子が語り始めた。

文子が生まれた当時、まだ祖父母は健在だった。祖母は掃除の仕方から箸の上げ下ろしに至るまで厳しい人で、嫁の妙子はいつもびくついていた。祖母の厳しさは初孫の文子にも向いた。いずれ店を継ぐのだからと決めつけた祖母による文子への教育は厳しかった。行儀の悪さが見つかる度に文子は祖母から強く叱られ、時に菜箸で腕やふくらはぎを叩かれたりしながら育った。和菓子を作る作業場に入ることなど、もちろん許されなかった。

祖母は里香がものごころつく前に亡くなった。祖母存命時の空気を払拭するかのように、祖父も両親も里香には甘かった。

文子の幼少期にはお菓子も玩具も洋服も、どれだけ欲しいと望んでもあまり買って貰えなかった。一家の財布の紐は祖母が握っていたからだ。だが里香は望む物のほとんどを買い与えられた。地味な顔立ちの母に似た文子と違い、目鼻立ちのはっきりした父親似の里香は、華やかな物が良く似合った。祖父も両親も新しい物を身につけてはしゃぐ里香を見ては、眼を細めて喜んだ。

文子は納得できなかった。だが祖母の下、控えめできちんとしていることが良しとされる性格に育ってしまったために、文句を言うことはなかった。だがそんな文子にもどうしても許せないことがあった。里香は幼いときから和菓子の作業場に入っていた。祖父が鉄板の上でどら焼きの皮を作るのを間近で眺め、小学校に上がる頃には何枚か焼かせて貰い始めていた。手先の器用な里香は、最初から失敗することなどほとんどなく、完璧に丸いどら焼きの皮を作った。文子も何度か挑戦したが、里香ほど完璧な形の皮を焼くことは出来なかった。

店は里香が継げばいい。本気でそう考えたこともあった。だが祖母が敷いた店を継ぐという人生のレールに乗り続けていたために、他の人生など頭に浮かばなかった。それに里香は成長するにつれ、和菓子屋を継ぐ気はないと言いだした。

「地味だし、つまらない。あの子、そう言ったの」

文子の前に置かれたコーヒーの湯気は、すでに消えていた。手をつけることもなく、文子は話し続ける。

結局、文子は製菓の専門学校の門を叩いた。そして父親とともに和菓子を作り続けて今に至る。対して里香は美容師の専門学校に進学し、そのまま学校の講師であるヘア・メイクアップ・アーチストの助手になった。

新たな問題さえ起こらなければ、過去は過去として水に流そう。文子はそう思っていた。だが里香は新たな問題を産み出した。店に口を出し始めたのだ。

「今時、大福だのどら焼きだの古いよ。もっと若い人に受ける物にしようよ」

華やかな仕事をしていることもあって、耳も早く、里香が買ってきた物は、どれも確かに美味しかった。

「ケーキ屋にしようなんて無茶は私も言わない。でも、こんなのどう？」

里香がとりわけ強く勧めたのは、どら焼きの皮に小豆餡の他に生クリームを挟んだ生どら焼きだった。藤吉定番のどら焼きに一手間加えるだけならば、新商品として店に出しやすいでしょう？　と得意げに里香は言った。

「餡なしで生クリームに果物を混ぜたのとか、カスタードクリームとかもありだよね」

文子はずっと黙していた。だが胸の中では怒りが渦巻いていた。店を継ぐ気などまったくないのに身勝手に口を出す妹を心底憎んだ。

さらに里香は提案した。

「このまま小さくお店を続けるのもいいけど、せっかく美味しいんだもの、もっと多くの人に食べて貰いたいって思わない？　でね、ネットショップを始めてみたらどうかな」

次々と実用的なアイディアを繰り出す里香に、祖父も両親も感心して何度も頷《うなず》いていた。

体内に怒り以外の感情がわき上がってきたのに文子は気づいた。焦りだ。

このままでは、店は里香の物になってしまう。自分の居場所がなくなってしまう。気ばかり焦るが、上手く言葉が出てこない。

そのとき、祖父が口を開いた。

「確かに良いアイディアだ。だけど、小豆餡の入っていないどら焼きはだめだ。あのどら焼きは藤吉の看板だ」

「お父さんが作って、今は私とお姉ちゃんが作っているどら焼きは、変えられないよ」

続けて父親も賛同した。二人が餡なしのどら焼きを却下したことに自信を取り戻した文子は、里香のアイディア全体が実現不可能な理由を語った。

生どら焼きを商品に加えるのなら、ショーケース自体も冷蔵用に替える必要がある。常温のショーケースと並べておけるほど広さの余裕は店にはない。厨房も同じくだ。大型の冷蔵庫を準備しなくてはならないが、それを置くスペースはない。

「うーん、そっか。——だったら餡の中に果物は？　苺大福は出しているんだから、それならよくない？」

猛反発されるかと思いきや、里香はあっさりと引き下がった。そしてさらに別なアイディアを出してきた。

「でも、やっぱり冷蔵のショーケースがいるよね。これもダメか、難しいなぁ」

その言葉に文子は少しだけ溜飲を下げた。里香が言ったのは、作ったことがない人間の言葉だったからだ。

「そんなことないわよ」

果物の下処理によっては常温販売が出来る。加熱、干す、飴でくるむなど、製菓の専門学校で学んだ知識を文子は披露した。そのアイディアは祖父と両親の合意を得て採用となった。

「でも、実際にやってみたら、簡単じゃなかったわ」

飴が厚すぎれば味の調和や食感を損なうし、薄すぎれば果物の水分で溶けてしまい、小豆餡が水っぽくなってしまう。文子は何度も試作を重ねた。その結果、今の果物どら焼きが完成した。

「ご苦労の実ったみごとな一品だと思います」

至福の味を思い出して、私は文子に言った。そのときばかりは文子も嬉しそうな表情を浮かべた。

その後、しばらくは何もなかった。里香が例の男に入れ上げるまでは。

男に金をつぎ込み始め、祖父や両親に金の無心をするようになった里香は、その頃、また店に口出しを始めたのだ。

「果物もいいけど、野菜は？　今のスイーツのトレンドは野菜よ」

サツマイモやカボチャ、枝豆やゴボウなど、野菜は古くから和菓子の素材として使用されている。別に珍しくもないと文子は一笑に付した。だが里香は言い返した。

「やっだぁ、そういうんじゃないわよ。トマトとかパプリカとか、もっとお洒落《しゃれ》なのよ。お姉ちゃん、古いよ、古すぎる」

そのとき文子は悟った。終わりなどない、と。

一つ問題が解決しても、いずれまた里香は店に口を出す。私の唯一の居場所に妹は何度でも土足で上がり込んで荒らす。

そう気づいたとたん、文子の体内に抑えきれない感情が吹き荒れた。

男に貢ぐ金を借りに来たことも、文子の感情に拍車を掛けた。実家のお金は両親と自分が汗水垂らして和菓子を作って売ったお金だ。妹に金を貸すことに文子は反対した。祖父も両親も同意した。だが隠れてこっそり、それぞれがお金を渡していることは知っていた。

——妹を苦しめてやりたい、辛い思いをさせてやりたい。

文子はそう望んでしまった。

それは、折しも私が店で妙子から相談を受けた三日前のことだった。そして私との会話が文子の里香への復讐のきっかけとなった。

通報した結果、捜査が行われたところで、男に違法性がなければ何の問題もない。文子の復讐は確実なものではなかった。この結末を招いたのは男であり、文子ではない。

口を閉じた文子は、コーヒーに手を伸ばし掛けて躊躇《ためら》った。完全に冷めてしまっているだけに、飲む気が失せたのだろう。だが、そっとカップをたぐり寄せるとコーヒーを飲み始めた。冷めてしまっても、口すらつけずに残すなどという勿体ないことは、文子には出来ないに違いない。その仕草を見ていた私は、もう一つ質問する。

「里香さんの居所、ご存知ですよね？」

文子はカップをテーブルに戻すと、少しだけ微笑んで「何でもお見通しなんですね」と言った。

文子は決して悪い人間ではない。本当に妹の不幸を望むことなど出来ない善人だ。妹を案じていないのは、居場所を知っているからだ。そう考えたのだ。

「電話がありました」

文子は静かに言った。

自由の身となった夫を連れて、里香は実家に帰ろうとした。その電話を受けたのは文子だった。

男に騙されていたと知って妹が悲しむ。それが文子の復讐の筋書きだった。だが予想と反する結果となった。本人だけでなく、夫まで実家に寄生されるかと思ったら、耐えられなくなった。文子は電話で妹に積年の思いを語った。

そんなこと、とつぜん言われても。だいたい、それってあたしのせい？　お爺ちゃんとお父さんとお母さんのせいじゃん――。

「そう言い返されるだろうって、思ってました」

寂しげな声だった。

文子も判っていたのだ。悪いのは妹ではない、妹を自分と違う育て方をした祖父と両親だ。怒りをぶつけるのなら三人であって、里香ではないと。

「でも里香は何も言わなかった。ごめんねとだけ言って、電話を切りました」

里香は姉の憤りを受け止めた。そして店に関することについては、自分に非があると認めたのだ。だからこその「ごめんね」だったに違いない。

「居場所をご存知だということは、連絡を取り合っているんですよね？」

文子は黙ったまま頷いた。

「でしたら、ご家族に教えて差し上げては？　あんなに心配されているんですし」

妙子の涙に歪んだ顔を思い出して、私は提案した。

「もう少ししたら、教えます。――それくらい、いいですよね？」

文子は私からの返事を待たずに更に続けた。

「ご家族への罰ですか？」

文子は黙したまま目を伏せた。

「そうですか。でも、早々に許してあげるべきです」

私を見る文子の唇が少しだけ窄《すぼ》められていた。早々に許せと言われたことに、納得いかないらしい。ただこれ以上、文子を説得する気は私にはなかった。これはあくまで家族の問題だ。他人が口出しをすることではない。それに、里香が本当に困っていたら、文子は里香を呼び戻すに決まっている。

「私が言うまでもないことですが、ご家族は妹さんと同じくらい、もしかしたらそれ以上に、あなたのことを大切にされていると思います。それではこれで」

そう言って立ちあがる。突然の別れの言葉に驚いて中腰になった文子を残して私は店の出口に向かった。気が変わって足を止めて振り向いた。

「正直に言うと、早くして貰いたいです。でないと、私はどら焼きを買いに行けません」

真実を知ったうえで、店に行くたびに大泣きする妙子を見るのは辛すぎる。言い終えた私は、今度こそ店を出た。

里香の提案した生クリームどら焼きを採用しなかった、それこそが祖父と両親が文子を大切に思っている証拠だ。定番のどら焼きを守るのなら、果物入りも却下したはずだ。だが里香のアイディアとはいえ、文子が試作を重ねて完成させたどら焼きは商品にした。そして今では季節ごとに中身の変わる果物どら焼きこそが、藤吉の看板となっている。それは文子に店を任せたことに他ならない。

文子に早く気づいて欲しい。そして一日も早く、私が大手を振ってどら焼きを買いに行けるようにして欲しい。

その一週間後、藤吉のどら焼き十二個入りが職場に届くようになった。不可解に思ったのは一瞬だった。里香の居所を文子が家族に教えない限り、どら焼きを買いに行けないと私は言った。だから早く教えて欲しいとも。それを受けて、買いに来なくてもよいように文子が送ってくれたのだ。私について知っているのは渡した名刺のみ。だから職場に届いた。そしてどら焼きは毎月、季節の果物が変わるごとに届けられた。

断るには店に行かなくてはならない。店に行けばまた妙子に大泣きされる。

それから月に一度、滅多に使わない至福という言葉に相応《ふさわ》しい一品を前に、私の心は重く沈んだ。それはもはや、文子が家族に里香の居所を伝えていない証でしかなかった。

◇

紫がかった餡の中にあったのは、真っ赤な小さい丸いものだった。その正体が判って、私は自然と微笑んだ。

「一つ、いただいてもよろしいですか？」

遠慮がちに言いながら、五条が机の上に手を伸ばす。掌《てのひら》には結構な枚数の大きさの異なる銀色の硬貨が載せられていた。釣り銭のないよう、二百五十九円を準備したらしい。硬貨が机に置かれる前に、「どうぞ、代金はいりません」と言って箱を差し出した。無料でよいなどと言われるとは思っていなかったのだろう、五条の動きが止まった。無言で私は箱を引き戻す。

「ありがたくいただきます！」

言うなり、五条が素早くどら焼きに手を伸ばした。席に戻った五条は、私に背を向けてさっそく今起こったことを松原に話し始めた。

「ぴょんが無料でくれたって」

松原の声に、周囲の同僚たちも会話に加わった。

「明日は季節外れの雪でも降るんじゃねぇの？」

「俺にもくれるかな？」

私は箱の蓋を持ち上げて振って見せた。了解の合図と判断した同僚たちが、ぞろぞろと近寄ってくる。残る十個のどら焼きはあっという間に同僚の手に渡った。

少しして、「うわっ、なんだこれ」と数カ所から声が上がった。

声を上げた同僚は、食べかけのどら焼きをしげしげと見つめている。その周辺に人が集っていくのを眺めながら、私は除けておいた白い封筒に手を伸ばす。

入っていた案内状には、いつもと同じく明朝体のワープロ文字で書かれた簡単な時候の挨拶が書かれていた。だがその他は違っていた。

『トマどら、ついに完成！』

弾けるような大きく太い丸文字で、しかも「トマ」の部分だけ、トマトを思わせる真っ赤なインクを使って手書きされていた。

そのあとに、さらに黒いインクの手書き文字が続く。こちらは抑制された綺麗な大人の文字だ。

『ご面倒とは存じますが、お時間のあるときにトマどらの感想をお聞かせ願えませんでしょうか？　家族一同、お待ちしております』

「ミニトマトか、驚いた」「けっこう美味《うま》いよな」「いや、美味いよこれ」

トマどらへの同僚の賞賛の声を聞いていると、「あのー、本当に無料でいいんですか？」と疑り深い五条が、再度訊ねてきた。

面倒臭くなった私は、「ええ」とだけ言って、食べかけのどら焼きを手に席を立つ。

数字は正直だ。だからこそ正しい。それが私の揺るがないポリシーだ。

でも、私にこのトマどらの値段を決める権利があるのなら、現在まで造幣局で作ってきた総額よりも高くする。

もうどら焼きは送られてこない。それを残念に思う気持ちなど微塵《みじん》もない。これからは大手を振って好きなときに好きなだけ買いに行ける。今までになく晴れやかな気持ちで、私は手にしたトマどらの残りを口の中に放り込んだ。

和菓子

チチとクズの国

牧野修

牧野 修

まきの・おさむ

1958年、大阪府生まれ。

1992年、『王の眠る丘』でハイ!ノヴェル大賞を受賞。

1999年、『スイート・リトル・ベイビー』で日本ホラー小説大賞長編賞佳作。

2002年、『傀儡后』で日本SF大賞を受賞。

作品に『楽園の知恵』『MOUSE』『死んだ女は歩かない』『晩年計画がはじまりました』『破滅の箱』など。

まずロープを売っているところがどこなのかがわからなかった。だいたいあれは何に属するのだ。登山用具と考えたらスポーツ用品か。梱包用品とするならば……はてさて、東急ハンズまで出掛けねばならないのか。と考えていたら、ようやくホームセンターのことを思い出し無事ロープを手に入れた。その時点ですでに下着まで汗でびっしょりだった。晴天の春先の午後に首吊りなんか計画するもんじゃない。吹く風は凍えるほどなのだが、陽射しは強い。ロープの束を入れた袋をぶら下げて、陽の下を歩き続け、閑散としたその町にようやくたどり着いた。埃《ほこり》っぽい風に晒《さら》され、町全体が古びた写真のようだった。

父の店が見えてきた。今は父の店ではない。人手に渡ったのだ。他人事《ひとごと》のように言っているが、人手に渡した張本人はぼくだ。

埃をかぶったシャッターが閉じている。それは陽に焼け色が失せ、まるで枯れて乾いた苔《こけ》のようだ。

他人の所有物ではあるが、ぼくはその合鍵を持っていた。別にこの日を予見して隠し持っていたわけではない。単にポケットの中に入れて忘れていただけのことだ。父の入院中は、何度もこの鍵でここまで父の私物を取りに来た。

サビの浮いた錠を開き、かりりかりりと癇癪《かんしゃく》でもおこしているような音を立ててシャッターを持ち上げた。電気はもう通っていない。窓から陽が差し込むので真っ暗というわけでもないが、それでも持ってきた懐中電灯で照らす。明かりで丸く目玉のように切り取られたところ以外は、闇がさらに深くなって見えた。並んだテーブルは父が病院に搬送されたときそのままで、おしながきがそれぞれのテーブルに立てかけてある。テーブルも椅子も何十年も放置されていたかのように古び、人待ち顔の厨房《ちゅうぼう》がくすんだ銀の光をぼんやりと照り返す。建物そのものが何かの亡霊のようだった。

父を亡くしたのは四年前だ。持ち主を失ってからそれほど時間は経っていないのだが、それでもここは留守宅ではなく廃屋《はいおく》だった。

父は死んだんだ。

何故か急に、それを生々しく感じた。

一介の料理人見習いから勤め上げ、四十を過ぎて自分の店を持った父親は、そのとき念願の男の子を授かる。

ぼくだ。

店舗兼自宅であることとぼくは同じ年に生まれ、ともに育ってきた。

病気がちで気が弱くスポーツ嫌いな上に酒も煙草もやらない。親子でキャッチボールとか、二十歳《はたち》を過ぎれば一緒に酒を飲みにいくとか、そういった父親の抱く息子像をことごとく裏切った子供だった。

ささやかな日本料理の店だった。そこそこ高級感のある料理を安価に提供することで人気があった。一時《いちじ》は行列ができるほど流行《はや》ったらしい。一時《いっとき》のことではあったが。

一階はいくつかのテーブル席と、小さな座敷がひとつ。就学前にはその座敷でよく遊んだものだ。客が来ると追い出されるが、まるで店で飼っている子犬のように可愛がってくれる客もいた。

二階が自宅だ。うっすらと埃の積もった階段を二階へと上がる。木製の階段はお化け屋敷かと思うほどの大きな音で軋《きし》んだ。二階は朝から晩まで煮物や揚げ物のニオイがしていた。休日に家にずっといると、食欲が失せた。今も埃とカビの臭いに混ざって焼き魚のにおいがする、ような気がした。

父はぼくが後を継がないことに文句ひとつ言わなかった。最初からそんなことは諦めていたのかもしれない。脳梗塞で右手が動かなくなってから店に出なくなった。しばらくは母親が切り盛りをしていたが、あっさりと脳血栓で亡くなった。一人暮らしになった父に、ぼくはほとんど会いに行かなかった。ぼくはぼくの生活に精一杯だった。上手くいけば上手くいったで。そしてしくじればしくじったが故に。

ぼくにはこれといって秀でた能力があるわけではない。そこそこの大学を出たのでそれなりの企業に就職できたのだが、それは真面目が取り柄で手に入れた職だと思っているし、おおよそみんなの評価もそんなものだったろう。ぼくは努力を怠らなかった。すべてに一所懸命だった。真面目で一所懸命な人間は人によっては愚かに映るらしい。陰で、あるいは面と向かってからかわれ馬鹿にされることがよくあった。だがぼくはそれでも、人が一努力するなら二努力した。二なら四、四なら八、他人の倍努力してきた。それで郊外に一軒家を手に入れ幸福な家庭を築けたのだから、ぼくのやり方は間違っていない。そう思ってきた。

父とは疎遠だった。

ぼくは父を毛嫌いしていた。

父は料理人とか職人とかいうイメージとは程遠い人間だった。一言で言うなら軽佻《けいちょう》浮薄《ふはく》。品のない軽薄ぶりが、ぼくには生理的に受け付けられなかった。

ぼくは父を恥じていた。友人知人に見られるのも厭《いや》だった。

自宅で倒れている父を発見したのは姉だ。

すぐに病院に搬送された。肺炎だった。もともと糖尿病だったのだが、それがかなり重篤なものだと知ったのは父が入院してからだ。ずいぶん前からインスリンの自己注射を行っていたらしい。糖尿病というものは様々な合併症を併発するだけではなく、他の病気の治療を妨げる。体力が落ちたときにブドウ糖の点滴が出来ないだけでも厄介なことになる。そんなことを知ったのも父が入院してからだった。

さすがにぼくも定期的に見舞いに行った。とはいっても週に一回程度で、自慢できるようなものではない。七日に一度だけ見ていると、枯れ行く花をコマ撮りで撮ったかのように父はみるみる弱り萎《しお》れていった。入院前がどうであったか知らないが、明らかに認知症を患っていた。世話らしい世話もしなかったが、父への嫌悪感は徐々に薄れていった。軽薄であるということも俗人であるということも脳の作業の一つだという、当たり前のことを思い知らされたからだ。晩年の父の目にあったのは怯《おび》えだった。壊れゆく己に、あるいは壊れていく世界に震えおののく父に、嫌悪感など感じなかった。恥じることもなくなった。代わりにぼくは父を哀れんだ。息子に哀れまれることが幸福であるとも思えない。そのことを思うと、余計哀れに思えた。

三ヶ月ほど入院し症状が落ち着くと家に帰るのだが、三日と経たぬ内に容態が悪化し救急車で病院に運ばれる。そんなことを何度か繰り返し一年後、梅の花が咲くのを待たず息を引き取った。春先にしては冷たい夜のことだった。

二階は靴を脱ぐようになっているのだが、埃の積もった床を靴下で歩くのに少しだけ躊《ちゅう》躇《ちょ》する。今から死のうというときにつまらないことが気になるものだと溜息をついて結局靴を脱ぐ。腰をかがめると出っ張り始めた腹が苦しい。いつの間にかそんな歳になっていた。もう少しで父に長男が――ぼくができた歳になる。こんな歳になってから、まだ子供を作ろうなどという気になったものだ。だがよく考えてみれば、この歳の父親は働き盛りだった。ただぼくが同じ歳で生きることにくたびれているだけのことだ。

薄暗い室内をロープの束を片手にうろついた。

そして知ったのだ。家の中には上手く首を吊れるような場所がないことを。ロープを掛けられそうなところの中で、ぼくの頭より上にあり尚且《なおか》つ成人男子の体重を支えられる場所。それを求めてさして広くもない家の中をうろちょろと歩きまわる。この家には高校を卒業するまでいた。大学に入ってからは親に頼み込んで下宿生活を始めた。それからは数えるほどしか家に戻っていない。家族と喧嘩したわけでもない。だが父の顔を見るのが厭だった。声を聞くのが鬱陶しかった。

家の中をうろついていると、いらぬことばかりを思い出す。新しく買った大画面のテレビが届いたときの褒めてほしそうな父の顔。そして狭い居間では大画面のテレビなど見難《みにく》くてどうしようもないことを知って落胆したときの、途方に暮れた子供のような情けのない顔。風呂上りに全裸で居間をうろつき、姉が嫌がるとわざとテレビの前に仁王立ちになる父親。片方の尻を上げて大きな音で放屁した後のしたり顔。そしてくだらないシモネタばかりの冗談。そのどれもに当時のぼくは苛立った。その下品な俗っぽさが、ぼくには鳥肌がたつほど厭だったのだ。だから鉈《なた》を振り下ろす勢いでぼくは父を拒絶した。罵《のの》りこそしなかったが軽蔑していることを隠す気もなかった。残酷なことをしているつもりはなかった。傷ついているのはぼくで、大人はそんなことで傷つかないのだと思っていた。

傷つくのだよ、大人も。

ぼくが生まれたときの父と同じ歳になろうとしているぼくはそう呟く。最近やたら独り言を言うようになった。

台所の照明を見上げる。

洒落《しゃれ》てるだろと父がよく自慢していたシャンデリアもどきだ。これまた和風の安普請にはまったく似合わないと、母と姉に散々文句を言われていた。

大きなガラス細工の照明器具は、天井の梁《はり》から四本の鎖で繋がれている。重いからしっかりと取り付けといてくれよ。家電量販店の制服を着た若い男に、父が何度も念を押していたのを覚えている。

ぼくは四本の鎖が交差する根元にロープを巻きつけた。反対側に輪っかを作る。二度三度と引っ張ってみたが大丈夫そうだった。

父がお気に入りだった揺り椅子に座るとき、足置き代わりに使っていた木箱を持ってくる。テーブルの上に遺書を置いた。たいしたことが書かれているわけではない。最初に相続は放棄しろと書いた。何しろぼくには借金以外の残すべき何ものもないのだから。ただ一つ、ずいぶん昔に始めた死亡保険があった。今なら自殺であったとしても多少の金が入るだろう。葬儀代ではない。受取人を息子にしてある。学費の足しにしろと、これもまた封筒の中身に書いた。葬儀は無用だとも書いた。事務的なこと以外は書く気がしなかった。心情じみたことを書きだすと、腹でも下したようにだらだらと余計な泣き言を書き連ねそうな気がしたからだ。

二年前までは本当に順調だった。このまま老後まで平々凡々とした、しかし平和な日々が続くのだと思っていた。

死者が出るほどの猛暑だったあの日。高校大学と同級生だった友人から久しぶりに連絡があった。社会人になってもずっと交友があった、親友と呼んでもいい唯一の人物だった。喫茶店に呼び出され、身が縮まるほどの冷房の中で、彼は上気した顔で新しい事業の話をした。必ず儲かるのだ。彼はギラギラした目でそう説明した。彼の説明どおりなら、投資額は二倍にも三倍にもなって返ってくるはずだった。ぼくは本当に彼のことを信じていたのだ。どう考えても彼がぼくのことを騙すなんてことはあり得ないと思っていた。だって親友なんだから。マルチ商法のようだなとは思ったが、それと目の前の彼とは結びつかなかった。誰もが死ぬという事実と、己の死とがなかなか結びつかないように。

あるいは彼の熱気がそのときすでにぼくにも伝染《うつ》っていたのかもしれない。やがて彼の新事業の実態をテレビや新聞の報道で見るようになった頃、ぼくは貯金の大半を失っていた。するると被害者の会だと名乗る人物が接近してきた。そして被害額を返還してもらうためには若干の投資が必要だと、いたって真摯《しんし》な態度で説明した。その頃には親友の作っていた新事業出資者の名簿が〈騙しやすい人間のリスト〉として売買されていたらしい。ぼくは金を取り返そうとすればするほど金を失い、とうとう借金までも抱えるようになっていった。ヌルヌルと滑る坂を必死になって登ろうとしているような気がした。手を伸ばし地を爪で搔き脚を突っ張るのだが、身体はどんどん落ちていく。

悪夢のような一年が過ぎた。ぼくはこのことをぎりぎりまで家族に内緒にしていた。心配を掛けたくないと最初は思っていたが、途中からは怖ろしくて、もう告白のしようがなくなっていた。そのあげく隠しきれなくなってから妻に告白した。妻は高校生の息子を連れて実家に帰っていった。当然の結果だった。

借金を返すために借金をする日々が続いた。相談先は銀行の担当者から闇金へと変わる。友人知人からも借りられるだけ借りた。返済の当てなどないのに。人間関係もめちゃくちゃになった。

もう自分でも何をしているのかよくわからなくなっていた。知っているだろうか。借金というものは額が自分の返済可能な額を過ぎた辺りから気持ちよくなっていくのを。追い詰められドキドキしながら借金の交渉を行うのが、実は危険に挑む冒険家のような快楽を生むということを。堕《お》ちていくことすら人は愉しめるのだ。そんな負の衝動にも背中を押され続け、とうとう父親が残してくれた実家までもが差し押さえられた。激怒した姉からすぐに電話が掛かってきた。それからもことあるごとに説教された。昨日も深夜に電話が掛かってきて、死んだ父さんに謝れと罵られた。その後で息子からメールがあった。母さんのほうは僕が説得するから、とっとと借金を返して謝りに来いという内容だった。泣いた。借金は返せそうになかった。しかしだからといって妻や子供にそれを委ねるつもりもなかった。矜持《きょうじ》というよりは、この期に及んでも妻子には良く思われたかったのだ。死んだ後で。いい気なもんだよね、いやほんと。

箱に乗り、背伸びして首にロープを掛ける。なんだか滑稽な姿だなあとぼんやりと思った。

後は箱を蹴るだけ。

そうだ蹴るだけ。

悩んでもしようがない。

クズみたいなぼくの人生をこれで……。

もう考えるな。

さようなら。

水泳の飛び込みの要領で箱を蹴る。

首にぐいと重みがかかる。

身体が一瞬浮いて——落ちた。

爆発でもしたような派手な音と砂埃。

砕けるガラス。

尻を強打した。

ひょほーっと間の抜けた声が出た。

粉塵が収まるまで、ぼくはしばらく横たわっていた。死にかけた亀のように首を伸ばし両手両足を大の字に広げて。

尻から腰にかけてやたら痛んだが、骨が折れているようでもない。やがてぼくは痛みを堪《こら》えて咳き込みながら立ち上がった。

首に結ばれたロープに引かれ、ガラスの固まりがガチャガチャと音をたてて持ち上がった。天井にポッカリと穴が空いていた。

四本の鎖はぼくを支えてはくれなかったのだ。

「死ぬことも満足にできないわけだ……」

ぼくはそう呟いた。そのとき自分の頬が緩んでいるのに気がついた。何故か自分はニヤニヤと腑抜けた笑いを浮かべていたのだ。

それを知ってぼくは悲鳴を上げた。

知らぬ間に自分が人の形をした糞になっていたような気がした。怖ろしかった。獣のようにわめきながら首からロープをもぎ取った。ひとしきり叫び怒鳴り泣き涙と鼻水とヨダレをだらだらと流し喉が嗄《しわが》れ、ひいひいと壊れた笛のような息をしながらへなへなとその場に座り込んだ。

「もう無理だぁ」

小さな声でそう言うと、ぼくは袖で顔を拭った。指先が凍えたように冷たくなって細かく震えている。

「無理だ無理だ。父さん、もう無理だよ。ぼくにはもうどうしようもないよ。無理だよ。限界だよ。駄目なんだよ」

ひび割れた花瓶から水が漏れるように言葉が漏れた。

と、後ろから声がした。

「何が無理だ」

どこにそんな力が残っていたのかという勢いで、ぼくは立ち上がって後ろを振り向いた。

「だから何が無理なんだって」

中年の小男が背筋をぴんと伸ばしてそこに立っていた。

「……父さん」

ぼくは言った。

「はいはい」

死んだ父が頷《うなず》く。

「父さんだよね」

「はいはい。それで何が無理なんだ」

「死んだ」

「誰が」

「父さんが」

「はいはい」

頷く。

「死んだよね」

「はいはい」

「じゃあ、なんでここに」

「こういうのをあれだ、幽霊って言うんじゃないのか」

「幽霊……」

「ひゅううううどろどろどろどろ」

父は胸の前で両手をだらりと垂らしてみせた。

「最近はそんな格好をしても幽霊だとはわからないよ」

「えっ、ほんと？　じゃあ、どんな格好したらいいの」

その父はかなり若かった。ぼくがまだ小学校低学年の頃のまだまだ元気な父の姿だ。つまりそれほど今のぼくと歳が変わらない。

「ほんとに、父さんなの」

「嘘じゃないぞ。裸になった方がわかりやすいか？」

服を脱ごうとする。間違いなく父だ。

「馬鹿なことは止《や》めてよ。でも、父さん、どうしてこんなところに、いや、そうじゃなくて……死んだんだよね」

「はいはい」

「じゃあ、あの、それは」

「だから幽霊だって言ってるだろ。ちょっとこの世に思いが残っちゃったってとこかな。悔いのある人生っての？　食いでのある人生なら良かったんだけどな」

へっへっへっと笑う。

やたら軽いのだ。

話せば話すほどイライラする。間違いなくこれが父との会話だ。これが厭になって、ぼくは家に帰らなくなったのだ。

「父さんに何を思い残すようなことがある？　家族に囲まれ幸せに死んだじゃないか」

「なんでさあ、そういちいち突っかかるようなもの言いをするんだよ」

「なんだか家族に問題があって成仏できないみたいなことを言うからさ」

「そんなことは言ってないぞ」

「言ったようなもんだよ」

「あっ、わかった。土産《みやげ》を持ってこなかったから怒ってるんだろう。天国まんじゅうとか持ってきてやればよかったな」

「いらないよ、そんなもの」

「そう真剣に否定されてもなあ。ユーモアだよ、ユーモア」

父はへらへらと笑った。

「それだ。その言い方だよ。何でそんなふざけた言い方をするんだよ」

「ふざけてないよ、っちゅうかユーモアの何が悪いよ」

「だから――」

言葉に詰まった。

何でぼくは死んだ人間相手に声を荒らげているんだろう。

「だから何だよ」

父はぼくの顔をじっと見ている。なんだかひどく馬鹿げたことをしている気になった。いや、実際死んだ人間相手にしゃべっているなんて、馬鹿げているとしか言いようがないじゃないか。

「何もないよ。それはもういいから、何を思い残したことがあるんだよ」

「そりゃおまえ、家族のことに決まってるじゃないか」

「心配させるようなことは何もないよ」

「あのなあ、それは首吊りを目の前でしていた人間の言う台詞《せりふ》じゃないだろう」

「そりゃまあそうだけど、それでも、あんたが生きている間には心配させるようなことは何もなかっただろう。その間に成仏しとけよ。なんでこんなときまでずっとこの世に留まってるんだよ」

「そりゃあれだ、ほら、甘いものが食いたくってさ」

父は照れくさそうに言った。

「甘いもの？」

「俺は糖尿病だっただろう。甘いものをずっと食えなかったんだよな」

「そんなことで化けて出るの？」

「そんなことっていうけどな、おまえ、ものすごく重要なことだよ。甘いものを食べられないってことは」

入院する三年ほど前には、インスリンの注射をしなければならないようになっていた、と姉から聞いた。糖尿病が見つかったのはぼくが中学生の頃だ。母親がずいぶん心配して料理などに気を配っていたが、何しろ料理屋の店主だ。客に付き合ってかなり好き勝手に飲み食いしていたようだ。だが甘いものだけは控えていたようで、時々発作のように「きんつばが食いてぇ！」と叫んでいた。

「おまえも最近はいけるんだってな」

「何でそんなことを知ってるの？」

「そりゃおまえ、幽霊だもの」

酒の話ではない。甘いものの話だ。ぼくはもともと甘いものが苦手だった。洋菓子和菓子に関係なく、ほとんど口にすることがなかった。それが五年前に禁煙して以来、急に好物になった。特に若い頃は口にすると胸が悪くなった小豆《あずき》の餡《あん》が、旨くて堪らない。アルコールで言えばウオツカに相当するであろうあんこそのもののきんつばも、今ではすっかり好物だ。数年前まではあんな砂糖の塊を食べる人間がいることが信じられなかったのだが。

「どこかで見てたのかよ」

「まあ、ちらちらとな」

「それは駄目だろう。ほとんど犯罪じゃないかよ」

「だからちらちらとだって。心配だから見てるんじゃないか」

「甘いものに未練があっただけだろうが」

「まあ、それはそうだけどな」

「甘いものが食べたい食べたいって思って彷徨《さまよ》っている間に逝《い》きそこねたわけだよね」

ぼくは父を睨《にら》む。

「なんだなんだ、その目は」

「まあ、そんな人間だよ、あんたは」

「確かにそんな人間だけどな、そんな人間だからこそいろいろと思うこともあるわけだ。おまえはどうも真面目すぎていけないよ」

「真面目の何が悪い！」

「だから突っかかるなってば。いや、俺は好きだよ。おまえの真面目なところはな。でもさあ、それでこんなことになってるんだから、それはちょっと見直した方がいいだろうさ」

「ぼくは何も見直すことなんかない。見直さなきゃならないのはぼくを騙した連中だろうが」

「なんでここで死のうと思った」

急に話を変えてきた。

「えっ、それは……やっぱり思い出の……」

「あてつけだよなあ」

「えっ？」

「こんな目に遭わせた奴らへのあてつけだよな。競売にかけられるけど、事故物件になって売れなきゃいいんだって思ったよな」

「うん、まあ、それは」

「気持ちはわかるけどな、そりゃ駄目だよ」

「何がだよ」

「困ったことがあるとね、人間ひねくれちゃうからいけないよな。おまえはさあ、そういうところは真面目にまっ正直なままが良いんだよ」

「良いのか悪いのかどっちだよ」

「真面目に正しく生きることはちっとも悪かないよ。そりゃあれだけ騙されたら人間多少はひねくれちまうだろうけどさ、それでも俺はおまえのそういうところが好きなんだよ。そういうところってのは、つまり親友だから無条件に信じちゃうところな。救いの手を差し伸べた人をみんな良い人だって思っちゃうところな。家族を泣かせるかもしれないけどさ、自分だって泣くような目に遭うけどさ、それでも俺はやっぱり思うんだよ。騙す人間になるより騙される人間になれってさ」

「馬鹿だよ」

ぼくは吐き捨てるように言った。

「騙される人間はただ馬鹿なだけなんだよ」

「うん、まあな」

父はうつむき頷いた。

「馬鹿は馬鹿なんだけどな……親からしたらおまえが辛い目に遭って欲しくはないんだけどな、でもな、それでも俺はおまえのそんなところを誇りに思うよ」

「うっせえよ。死んだ親父に誇りに思われても何の足しにもならないよ。騙されたらそれで終わり。はいさようならだよ。こんなことになるんだよ」

ぼくは輪っかを結んだロープを指さした。

「だからさ、俺はおまえがやったことは正しいと思ってるんだよ。間違いなのは死のうとしたことだけだ。おまえが騙される側の人間だからってことで生じたことに、いちいち馬鹿正直に付き合う必要はないってことさ。そのへんは俺みたいに不真面目でいいんだよ。借金は男の勲章だっつの。そんなもん、すぐに返せって奴が悪いんだよ。こっちも返さないって言ってないんだから。まあ、いつかそのうち返せるようになったら返さないこともないってことだろうよ」

「何言ってんのかわかんないよ」

「わかれよこれぐらい。おまえみたいに真面目な人間ってのはすぐに逃げ場を失っちゃうからなあ。どこかゆるゆるに気を抜くところを作っておかないとさあ」

「そんな余裕なんかないよ」

「まあ、たしかに金がないと余裕も失うよな」

「そうだよ」

「わかった。じゃあ、こうしよう。俺がその金を作ってやるよ」

「作ってやるって、幽霊が？」

「幽霊幽霊って馬鹿にするんじゃないよ。人ってのはな、死ぬと未来がわかるようになるんだ」

「はあ？」

「だから未来予知が出来るんだよ。ほらこうしてな」

両手の指を組み、目を閉じうつむいて何か呟きだした。

不意に顔を上げる。

「おまえ競馬するか？」

「しないよ」

「だろうな。賭け事には一生縁がなさそうだもんな。じゃあ、おまえの人生で一回だけの賭けをしろ。確実に儲かる万馬券を教えてやるよ」

「えっ、ほんとうかよ」

「いいか、ちょっと待ってろ。ええと」

腕を組んで瞑想する。

「よし、わかった。今度の桜花賞だ。三番のダンスダンスタンスが一着だ。二着は……八番のチェーンソーマサカだ」

「ちょ、ちょっと待って。何かに書いておかないと覚えられないよ。ええと、メモメモ」

ぼくは内ポケットからボールペンを取り出し、メモ帳を探した。

「ええい、これでいいか」

テーブルの上の封筒を破って遺書を取り出し、その裏に書き始める。

「ええと、桜花賞だよな。それで、何だっけ」

「ダンスダンスタンスな」

ぼくの手元を覗き込みながらそう言った。そしてぼくがそこにダンスダンスタンスと書くと、いきなりゲラゲラと笑い出した。

「なんだよ」

「嘘だよ、嘘。死んだ人間が未来のこと知ってるなんて話を聞いたことがあるか」

腹を抱えて笑う父に、ぼくはボールペンをぶつけた。

「いて！」

ペンは父の身体を通り抜けたのに、父は顔をしかめてそう言った。

「もっと痛くしてやろうか。いい加減にしてくれよ。こっちは生きるか死ぬかってところなんだぞ。そんな冗談なんか聞いてる余裕なんかないに決まってるだろうが。だいたいあんたはずっとそうだったんだ。ぼくが真剣に相談しようとしても笑ってごまかすし、困ったことがあっても相談なんかできなかったよ。ぼくがどれだけ悩んでいても……」

しゃべっている間に涙が出てきた。堪えようと思ったがどうしようもない。辛抱しようとすると嗚咽《おえつ》が漏れる。これじゃあまるで子供じゃないか。いやたしかに子供ではあるのだけれど。

「わかったわかった。悪かったよ。なんだよ、泣くなよ。まあそれだけ泣いたり怒ったり出来るなら充分元気だよ。俺も酷《ひど》い目にはなんども遭ってるし、もっともっと酷い目に遭った奴も観てきたけどな、どうしようもなくなった奴は泣くことも怒ることもないよ。そうなると生きてるのか死んでるのかわかんなくなっちまうからな。おまえはそれに比べたらまだま
だ死にそうにないよ。死ぬのは諦めるんだな」

「うるさい。どっか行けよ。邪魔なんだよ」

「おいおい、親を邪険にしちゃダメだよ。ほら」

拳を前に出した。

「おっと、これはじゃんけん。ひひひ」

「殺すぞ、じじい！」

「死んでるよ」

「ほんっとにあんたって人は──」

「そう言うなよ。ちょっとでも元気になってもらおうっていう親心なんだからさ」

「いらないよ、そんな親心」

再び父は厨房へと向かう。どうやら冷蔵庫を開けているようだ。

「うわっ、こりゃ駄目だ」

慌てて扉を閉めた。何を見たのか知らないが、電気が停まって何年も経った冷蔵庫の中身なんかあまり見たくない。

「甘いものがさあ、欲しくってさあ」

父が言う。

「馬鹿じゃないの。あったにしても何年も前のものが食べられるわけないじゃないか」

「まあ、そりゃそうだけどな。っつか、あったにしても死んだ人間には食べられないんだけどな」

へへへと笑う。

ぼくは普段から思っていたことを訊ねてみた。

「仏壇に供えたものって食べられないのかよ」

「あれは嬉しいんだよ」

父の顔が嬉しさにぐにゃりと崩れる。

「ほんのり甘みを感じるんだよなあ。ああ、堪《たま》らん」

生唾を飲む。

「そう言えばお供えなんかずっとしてないな」

死んで一年は仏壇に供え物もしたが、そんなことはとっくに忘れていた。

「加奈子《かなこ》さんがずっと供えてくれてんだよ。おまえ知らないのか」

加奈子というのは妻の名だ。

「あれはおまえにはもったいない嫁さんだよ。大事にしろよ」

「もう遅いよ」

「遅くないって。加奈子さんは借金だらけのおまえに愛想尽かしたわけじゃないんだよ。ずっとおまえが借金のことを黙ってたことに嫌気が差したんだ。ほんと、おまえってのは女心がわからないんだからな」

「父さんがわかってたとも思えないけどね」

「まあな」

へへへと頭を掻く。

「母さんにも苦労ばっかりかけてたけどさあ。っていうか俺も成仏したら会えるんだけどね。それはそれでなんだかおっかなくてさあ」

「何を言ってんだよ。早く会いに行ってやれよ」

「……うん、あ、まあな。おまえともこうやって話せたしな。でもまだ甘いものがさあ……」

「今度お供えしておいてやるよ。リクエストはある？」

うーんと唸ったまま黙り込んだ。

「そんなに悩むものでもないだろう。忘れずに月命日ごとにお供えするからさ」

「毎日じゃ駄目？」

「毎日は無理だよ。まあ、週一ぐらいで」

父の顔がぱっと明るくなる。

「じゃあ週一で」

「それで何がいいの」

「和菓子はさあ、ほんといっぱい種類があってな。でもなんだよな、こういうのは子供の時に食ったものが何でか一番美味《おい》しく感じるんだよな。和菓子には味も姿も繊細なのがたくさんあるんだけどね。ところがそういうのは大人になってから知ったからさ、美味しいのはわかるんだけど、こういうときには――」

「早く決めろよ」

「だからさあ、こういうときはまずひねりのないストレートな、がっつり甘味！　って感じのものがいいんだよな。おまえもそう思うだろう」

「知らないよ」

ほんとは知っていた。甘いものに飢えているときは、餡そのものを匙《さじ》ですくって食いたくなる。そしてまた、そんなときの餡は格別に旨いのもわかっていた。こうして思い出しただけでもにやけてしまうほどに。

「甘いものってのはな、こう舌の上からがつんと身体にしみていくときにだな、ほんと心から幸せな気分になれるよな」

夢見るような顔でそう言う。

「まあね」

ぼくは頷いた。

「わかる？　わかるか。おまえもそれがわかる歳になったか」

本当に嬉しそうな顔をした。

「そうか。ようやく共通の話題が出来たなあ。おまえはプロ野球にも相撲《すもう》にも興味がないし、旅行は嫌いだわ時代劇は見ないわ、何を話していいかわかんなかったんだが、そうかそうか。甘いもののことならわかるか。じゃあおまえ知ってるか。魂って餡そっくりなの」

「またくだらん冗談を」

「冗談じゃないってば。これは俺が実際に見たんだから間違いないって。魂ってのはな、餡にそっくりなんだよ。生まれたての赤ん坊の魂は、つやつやした小豆そっくりだからな。それに砂糖やら——本当に砂糖かどうかは知らないけどな、白いのやら茶色いのやら、生きていくにつれてなにやら加わって煮詰まってどんどん魂は仕上がっていくわけだよ」

「嘘だろ」

「ほんとだって。だいたい六十ぐらいまでつぶ餡なんだけどな、それからはだんだん人生に練られてこし餡になっていくよな。歳をとってもつぶ餡って人間もいるらしいけどね。あいつはいくつになってもつぶ餡だなあ、みたいにからかわれたりするわけだ、俺たちみたいな幽霊にな」

「そんなこと一体誰に聞いたんだよ」

「死んだ先輩。この世じゃあ先に生まれた人間が先輩だけどだな、あっちじゃあ先に死んだものが先輩だよ。どんだけ歳が若くても兄さんに姉さんだよ」

ぼくはできるだけ真面目な顔でじっと父の目を見た。いつもと変わらない父がぼくを見ている。デタラメを言っているのかどうかは、まったくわからない。でももう冗談でもなんでもいいやという気になっていた。

「で、死ぬだろ。天国というか極楽というか煉獄というかなんというか、とにかくあの世に行くわけだよ。俺もそこまでは行けるんだよな。あれが三途《さんず》の川ってのかなあ。そこはひんやりした水みたいな、いや、水よりはそのなんだ、あれにそっくりなんだ」

「あれって?」

「笑わないか」

「魂が餡って以上に笑えること?」

「……葛《くず》そっくりなんだよ。葛って、葛粉を水で溶いて火にかけてから固めたやつな。あの透き通っててぷるぷるしたもんでそこが満たされてるんだよ。俺は半死にだから、そこ行ってもまだ身体があるんだけどね、ところが思い残すことがない人間はだね、魂だけになるわけだ。ぴこんと、こう魂が、っていうか餡が葛の中に浮かんでるんだよ。魂はどうやらその葛みたいなのを吸って生きてるんだな。つまりだよ、ヒトはなあ、死ぬと水まんじゅうになっちまうんだってことだよ」

ぼくはぱちぱちと拍手した。

「ははは、おもしろいおもしろい。で、何を供えてほしい」

「だからさあ、ほんとだって言ってんだろ。嘘じゃないんだって。死ぬと人間は水まんじゅうになるんだよ」

「アメリカとかじゃあどうなるんだよ」

「……まあおそらくプリンの中に――」

「ありえねぇ！」

「あるんだって！　ほんとだって。親の言うことは信じろよ」

「あんたの言うことだから信じられないんだよ」

「わかった。じゃあ見せてやるよ。こい」

父はぼくの腕を引いた。

「どうするの」

「目を閉じろ」

ぼくは頷いた。

「それで息を詰める。俺がいいって言うまでな」

言われるままにした。

「行くぞ」

手を引かれ二三歩歩く。

それで終わりだ。何も起こらない。やっぱり騙されたか。まあそれでもいいや。そう思ったときに父の声がした。

「さあ、目を開けろ」

ぼくは目を開いた。

「もうあんたの冗談は――」

悲鳴を上げた。悲鳴は赤黒い泥のようにぼくの口から飛び出した。

足が地面から離れている。それ以前に地面がない。ひんやりしたゼリーの――葛の中にぼくは浮かんでいた。

「助けて！」

叫ぶとごぼごぼと血の塊のようなものが口から葛の中へと流れ出て、みるみる薄れて消えていく。そしてぼくは吐いた汚泥の代わりに、その葛を吸い込む。

溺れる！

反射的にそう思って息を詰めたが長くは続かない。我慢できず思い切りその〈葛〉を肺に入れてしまった。

……苦しくない。

気道にわずかな水でも入り込んだら死ぬほど咳き込み苦しむのに、何ともない。それどころか、喉から肺へと清浄な大気を吸った以上の心地よさを感じた。まるで身体の中を冷水で洗い流しているようだ。

泥を吐き、葛を吸う。

ほんのりと切ないほどに甘い。

吐く息は赤黒い汚泥からどんどん透明なものへと変わっていく。

「なっ、嘘じゃなかっただろう」

「……そうだね」

「その汚いのは俗世間のゴミだよ。それは葛の中のミニサイズの天女様があっという間に食っちまうから、今のうちにたんと吐き出しとけ。あんまり調子にのって吸い込むんじゃないぞ。たしかに気持いいけどな。身体の中にあの世が入って来ているわけだから。まあ、それぐらいにしとけよ。でないと葛に引かれておまえの餡が飛び出していってしまうぞ」

「えっ！　それって死ぬってこと？」

にやにや笑いながら父は頷いた。

「っていうわけだから、もうこれぐらいでいいだろう。なっ？　わかっただろう。俺が嘘を言ってないってことがよ」

「わかった」

「さあ、行くぞ」

ぼくの腕を引く。

「ちょっと待って。最後に一呼吸してから」

ぼくは深呼吸の要領で思い切り〈葛〉の大気を吸った。

「目を閉じろ」

言われて瞼を閉じた。

そして最後の息を吐く。

もうほとんど色はない。

吐くにつけ、ぼくの中から余計なもの不要なものが抜けていく。喉のつかえがごぼりと取れて、腹に溜まっていたアレやコレやが、絶望と不安が、ぼくを死へと追いやっただろうすべてが吐き出され、葛の中へと溶けて流れて消えていく。

父の声が頭の中に泡のように浮かんで弾ける。

――借金は借金だ。それ以上でもそれ以下でもないさ。

――生きていれば恩返しも出来るしな。

――息子はおまえを待ってるんだろ。

――待ってくれる人がいる間は帰ることを考えろよな。

――さあ、三つ数えるぞ。ひとつ、ふたつ、みっつ、目を開けろ。

ぼくはゆっくりと目を開いた。

あの薄暗い店の中にぼくは立っていた。

そして目の前に父が立っている。

「そうか。おまえも甘いが好きになったか」

ニコニコしながら父はそう呟いた。

ぼくはすっかりくず餅か水まんじゅうが食べたい気分になっていた。甘いものへの渇望というのは、炎天下に運動した後の喉の渇きと同じぐらい強烈だ。

「なんかなあ、もう充分満足しちまったよ」

父はぼくを見て笑いながらそう言った。

「ちょっと待ってろ」

厨房の奥へと消えて、すぐに小さな革の鞄を持って出てきた。ファスナーを開き、中をかき混ぜる。

「あったあった、これだ」

一枚の年賀状だ。日付を見ると五年前のものだった。

「父さんもだな、死ぬまでの間には数々の借金を踏み倒してきたわけだが」

「そんなことをしてきたのかよ」

「内緒だがな。まあ死ぬまで内緒にしてきたからいいだろう。それでだな、まあなんていうかなあ、基本的には人徳で乗り切ってきたわけだよ。人柄っていうの？　そういうのは大事だよ。んだけどな、ときどきは人の力も借りたわけよ」

差出人を見ると不動《ふどう》法律事務所と書かれてある。

「その不動ってのは俺の後輩でね」

「高校の？」

「いや、人生の。で、まあいろいろとそいつの手を借りたんだよ。自己破産っての？　俺はそこまでやらなかったけどな。なんかいろいろと手があるわけよ。死ぬ前にやることがな。不動ももう結構な歳だけどまだ現役のはずだぞ。今は息子と一緒にやってるはずだ。息子の方も知ってるけど、なかなかできる男だよ。信用もできる。俺の名を出して相談してみろよ。前々からおまえのことは言ってあるんだ。いつか手を借りることもあるかと思ってな。本当は俺の素晴らしい人脈をおまえに紹介しておこうと思ってたんだけどな。考えた以上に急にきちゃってさ」

薄暗い部屋の中にいたので気がつかなかったが、父の姿がうっすらと透き通っていた。

「えっ？　父さん、それ」

「ああ、消えかけてるなあ。満足したからだろうさ。要するに成仏だよ、成仏」

「あの、ぼくは」

「なんとかなるだろうさ。おまえは大丈夫だよ。見通しがついたら帰ってやれよな」

「父さん……」

「つまらんことは考えないで、もっとゆるくゆるく」

じわりと薄闇に滲んで、父の姿が消えていく。

「ちょ、ちょっと待って」

まだお供えに何がいいか訊いていない。

ぼくは手を伸ばした。

その手が消えていく父の胸を突き抜けた。

身体から力が抜ける。

膝が折れた。

見上げると微笑む父の顔が溶けて回ってぐるぐると。

闇が、薄闇がゆるりと回って。

だから世界もぐるぐると回ってその中へ。

そしてぼくは、ぼくは……。


ぼくは夕暮れのくすんだ町を歩いていた。

帰るのだ。

一人住んでいたアパートへ。

仏壇ひとつないのだけれど、お供え用に水まんじゅうを買おうと商店街の甘味屋に立ち寄ったのだが、季節外れで置いておらず、仕方なく大福を二個買った。

財布を捜すとき、ポケットに手を突っ込んだら、ハガキが一枚出てきた。

夢じゃなかったんだ。

独り言の多くなったぼくがそう呟くと、どこからか「へへへ」と照れくさそうな笑い声が聞こえた。

成仏したんじゃないのかよ。

そう言うぼくに答える声は、もうなかった。

和菓子

迷宮の松露

近藤史恵

近藤史恵

こんどう・ふみえ

1969年、大阪府生まれ。
1993年、『凍える島』で鮎川哲也賞を受賞。
2008年、『サクリファイス』で大藪春彦賞を受賞。
作品に『巴之丞鹿の子』『天使はモップを持って』
『タルト・タタンの夢』『はぶらし』『シフォン・
リボン・シフォン』など。

その土の壁の迷宮で、わたしは毎日のように迷った。

迷うために朝、ベッドから起き出し、迷うために服を着て化粧をし、そして迷うためにホテルを出て行く。

最初は怖くて仕方がなかった、今いる場所がわからないという状態にも、いつしか慣れた。自分の足で歩いているのだから、たとえ迷っても何十キロも遠くまで行くはずはないし、それにどんなに迷ってもこの街からは出ていない。

大したことではない。迷うことなんて。

すれ違うのは人と、荷物を積んだロバ。この乾いた迷宮には車もバイクも入ることができない。迷うことが許されているのは、人だけだ。

帰りのことは考えなかった。

まだこの国にきて二週間しか経っていない。五年間、遊ぶ時間もなく、ひたすらに働いていたから、まだお金の余裕もあるし、ビザなしで滞在できる期間は三ヶ月で、まだこの先も時間はある。

たぶん、わたしはなにも考えたくなかったのだ。

道に迷っていれば、頭の中は正しい道を探すことでいっぱいになる。帰ってからどうするのとか、どうして自分はここにいるのとか、そんなことはすべて忘れていたかった。

足がじんじんするほど歩き回り、スークの屋台でオレンジジュースを一杯飲む。ホテルに帰って砂で汚れた足を洗う。すっかり馴染みになったレストランで、タジンとホブスや、クスクスを食べる。

そして、ベッドに潜り込んで、朝までぐっすりと眠るのだ。

モロッコにしばらく行ってくる、と告げたとき、両親は驚いた顔をした。

父はすぐに治安の心配をした。イスラム教の国だというだけで、テロとかそういう心配はないのかと繰り返し聞いた。わたしは、モロッコは治安のいい国で、日本人女性の一人旅なども多いと説明した。

話す前までは、猛反対されると思っていた。だが父も母も、心配はしたものの、頭ごなしに行ってはいけないとは言わなかった。

母は「ツアーで二週間くらい行ってきたら？」と言ったが、今のわたしには大勢で行動することそのものが苦しかった。決まった予定にも耐えられそうになかった。

結局、安ホテルではない、大きめのホテルに泊まって、毎日メールで連絡をすることを条件に、許してくれることになった。

たぶん、父も母も気づいていたのだと思う。わたしの精神状態がいっぱいいっぱいだったということに。

なぜモロッコだったのかは今でもわからない。

日本を離れて、遠くに行きたいと思ったのはたしかで、そう考えたとき頭に浮かんだのは砂漠だった。自分に馴染みのない文化を持つ、乾いた土地に行きたかった。

危険な場所に行く勇気はなかったし、食べ物だっておいしいほうがいいと思った。そう考えてモロッコを選んだ。

訪れて、ずいぶんイメージと違う、と思った。

カサブランカからフェズに向かう列車の車窓からは、緑にあふれた大地が見えた。砂漠に行くのには、フェズやマラケシュという都市から離れて、七、八時間も四駆で走らなければならないなんて知らなかった。

当然、個人旅行では行くことは難しい。

人々だってそうだ。敬虔で無口なイスラム教徒ばかりいるイメージだったけれど、ひとりで歩いていると、ナンパばかりされた。

「あなたみたいなきれいな人に会ったことはない」なんて、片言の日本語で言われたこともあった。もちろん、自分が美人の範疇《はんちゅう》に入るはずがないことなんてわかっている。

イスラム教徒同士だと、結婚する前に付き合うなんてできないから、手軽に遊べる相手は外国人の異教徒しかいないのだと、何度かモロッコを訪れている日本人旅行者に聞いた。

イメージとは全然違うし、失望もしたけれど、なぜか帰りたいとは思わなかった。

日本とは違う匂いと、眩《まぶ》しいほどの日差し、そしてなにより、迷宮のように入り組んだメディナに幻惑された。呼ばれたのだと思った。

一週間、毎日歩き回っても、すべてを見ることはできなかったし、いっこうに飽きることはなかった。

まだ帰るつもりはなかったけれど、自分がなぜここにいるのかはわからなかった。

ほとんどの友達には、モロッコにいることは告げていない。カサブランカに着いたばかりで舞い上がった気持ちのとき、届いたメールに一度だけ返信した以外は。

「今、モロッコにいるの。いつ帰るかは決めていない」

そうメールすると、友人からの返信にはこう書いてあった。

「自分探しの旅？」

もちろん、彼女に悪気などないことはわかっている。わたしの精神状態を彼女が知っているはずもないし。

それでもそんなお手軽なことばで表現されたことに、わたしは傷ついた。

いや、傷ついたのは、まさにわたしの旅が、多くの人にとってそういうことばで表現されるものにすぎないことを、目の前に突きつけられたからかもしれない。

違うと証明することなど、どうやってもできない。

自分を探すよりも自分を失ってしまいたかったのだと言いたかったけれど、そう言って結局わたしがいるのは、治安のいいモロッコの、ダニもノミもいない快適なホテルの部屋だ。

命の危険があるような場所に行く勇気も、ドミトリーの男女混合の部屋で眠る勇気もない。

自分で四駆を借りて、砂漠に向かって出発することすらできない。

可愛らしい雑貨を探しにきて、三日くらいで帰ってしまう女の子たちと少しも変わらない。

体調不良に悩まされることもなく、むしろ毎日歩き回っているせいか、食欲もあって、夜はぐっすり眠れた。

ここ一年間ほど、ゆっくり眠れたと感じることなどほとんどなかったのに。

日本から、カタールで乗り継ぎをして、モロッコまでほぼ、丸一日。長時間のフライトと時差で、わたしの体内時計は完全にかきまわされた。

正常だった人なら体内時計の不調に悩まされるのだろうけれど、わたしの自律神経はもともとめちゃめちゃに狂っていた。

どんなに疲れていても、ベッドに入って眠れるのは、二、三時間で、一度目が覚めてしまえば、もうなかなか眠れない。眠れないのに、起きているときはずっと眠かった。

今では、夕食をすませて部屋に帰ると、そのままベッドに倒れ込んで朝まで眠る。

ホテルの部屋ですることがないというのも、大きな理由かもしれない。

テレビはあったが、アラビア語もフランス語もわからない。ぼんやり眺めていても、すぐに眠くなった。

だから眠った。記憶が混濁して、夢と現実の境目も曖昧になってしまうくらい、深く、長く。

昼間はメディナで迷って、夜は夢の中で迷った。


モロッコに来てから、なぜか祖母の夢をよく見るようになった。

小学五年生の一年間、わたしは母方の祖母に預けられた。母が子宮癌になったことがきっかけだった。

母は入院と手術、その後も抗癌剤治療をすることになった。父は大学病院の勤務医で、夜勤や外勤なども多く、わたしの面倒をひとりで見ることは困難だった。

祖母は京都の古い日本家屋に住んでいて、着物の着付けを自宅で教えていた。わたしはその家と祖母が大好きだった。

「京都のおばあちゃんとしばらく暮らしてほしい」と言われても、それほど不安な気持ちにはならなかった。

祖母は美しい人だった。子供だったわたしには、最初、祖母の美しさがよくわからなかった。きれいなのは若い女性だけだと思っていたのだ。ただ、町で見かける同じ年代の女性と、祖母はどこかが違うと思っていた。

気づいたのは、母が入院する前の年、小学四年生の夏休みだっただろうか。夏休みに祖母の家に遊びに行ったわたしは、藍の浴衣《ゆかた》を着て、軒下で夕涼みをしている祖母を見て、はっとした。

その夜、母に聞いてみた。

「ねえ、おばあちゃんって……美人だよね」

母は目を見開いて大きく頷《うなず》いた。

「そうなのよ」

それから母はまるで堰《せき》を切ったように話しはじめた。

若い頃の祖母は、まるで女優のように華やかな美人で、近所でも評判だったのだという。その年齢にしては背も高かった。母は、ごく普通の容貌をしていた。

「きれいな母が自慢で、でも、コンプレックスだった。だって、子供のとき何度も言われたんだもの。『お母さんには似ていないわね』って」

わたしと母はよく似ているから、母の感じた痛みはわたしには少し遠かった。それでも大人が平気で子供の心を傷つけることは知っていた。

「なんで、わたしはお母さんに似てないのって泣いて、お母さんを困らせたこともあったわね」

そう言って母はくすくすと笑った。

子供のわたしには、母がそんなコンプレックスを抱いていたことなど想像もできなかった。

「でも、自慢だったのも本当なのよ。小学校の授業参観でもお母さんがいちばんきれいだったのだもの。クラスの友達から『なおちゃんのお母さんきれい』って言われるたびに、鼻が高かった」

自慢であり、コンプレックスでもある。その感情は馴染んだものではなかったけど、理解はできた。

一緒に暮らしはじめてからも、祖母の美しさにはっとすることは多かった。

わたしが朝、目覚めて台所に行くと、祖母はすでにきちんと身支度を調えて、朝食を作っていた。紬《つむぎ》か、木綿《もめん》の着物に半幅帯《はんはばおび》を締めて、襷《たすき》に前掛け、もしくは割烹着《かっぽうぎ》を着て、包丁の音を響かせていた。

日曜などは、午前中から廊下にぞうきんをかけたり、あちこち拭き掃除をしていた。

働き者だった祖母だけど、一方で身支度にも手を抜かなかった。どんなに暑くても、きっちりと和服を着込んで、半幅帯を締めていた。出かけるときにはその帯が、お太鼓結びに変わる。

夏は三日に一度、冬は五日に一度、美容院にも行っていた。髪は染めずに白いままだったし、年相応の皺《しわ》はあったけれど、祖母は美しく装うことが好きだった。

京都の人らしく倹約家で、外食などほとんどしなかったし、買い物に連れて行ってもらったときも、野菜がいつもより高いと絶対に手を出さなかった。電化製品や日用品も古いものばかりだった。

そんな祖母が、唯一目尻を下げて買うのが、お菓子だった。

わざわざバスに乗ってまで、遠い店にも買いに行き、家に帰って機嫌良く、お茶を淹《い》れるのだ。

揺らせば、ぷるぷるとはかなげにふるえるわらび餅。たっぷりと黒大豆の入った、少し塩気のある豆大福。ひんやりと舌の上で溶ける金平糖《こんぺいとう》。一緒に暮らしている間、わたしは祖母と一緒に、美しくて手の込んだ、京都のお菓子たちを堪能した。

飴《あめ》ですら、これまでおやつに食べていたものとは全然違った。

くどい香料の匂いしかしない大量生産の飴しか知らなかったのに、祖母が手に握らせてくれる飴は雑味がなく、澄んだ味がした。

一緒に、甘味屋に出かけることもよくあった。夏は本物の抹茶を使った宇治金時。氷は向こうが透けるほど、薄くカンナでかかれていて、口に入れた瞬間に、泡雪のように消えてなくなった。

古くて薄暗い店に食べに行ったくずきりは、漆塗りの器の中で透き通っていた。

祖母は値段のことなどは言わなかったけど、子供のわたしにも、それが上等なものであることはおぼろげにわかった。

家にいたときに食べていたお菓子と、なにもかもが違った。これまで、外で甘いものを食べたのは、喫茶店やファミリーレストランでのケーキやパフェくらいで、お店の空気からなにからが、祖母が連れて行ってくれる店とは全然違った。

父も母も、それほど甘いものが好きではなかったから、わたしは子供向けのお菓子しか食べたことはなかった。

一年後、母は癌との闘病に打ち勝つことができた。わたしも東京の家に戻った。

祖母にはとても大事にしてもらった。母の病気という大事件を前にしても、わたしが元気でいられたのは祖母に愛してもらったからだと思っている。

なのに、今、わたしは祖母のことを思い出すのがつらいのだ。

懐かしい思い出だったはずなのに、祖母のことを考えると、心臓が握りつぶされるように痛んで息苦しくなった。どうしてかはよくわからなかった。

祖母は、わたしが就職して二年目に亡くなった。真夏に肺炎を起こし、入院してたった一週間で、息を引き取ってしまった。

仕事が忙しくて、わたしはお見舞いにも行けなかった。

それでも、葬儀の棺の中、花に埋もれて眠る祖母は、わたしの思い出の中と変わらずに、とてもきれいだった。

フェズのメディナでいちばん居心地がいいのはカフェである。

ミントの葉がたっぷりと入ったミントティーとモロッコ風のお菓子で、くたびれた足を休めて、息をつく。

カフェにいる現地の人は、ほとんど男性で、深くスカーフをかぶった女性を見ることはまれだったが、観光地だけに日本人がいることには慣れているようで、特に無遠慮な視線を浴びることはなかった。

ミントティーは熱く、びっくりするほど甘かった。最初はぎょっとしたが、なぜか乾いた暑さの中ではこの甘さが心地よく感じられた。

モロッコのお菓子もそうだ。どれも舌が溶けるくらいに甘い。

それでも小さいサイズだから、ぱくりと食べられる。どれも、ココナツオイルと砂糖、ナッツがたっぷり使われていた。

少し和菓子に似ている気がした。小豆《あずき》や白インゲンなどの代わりに、ナッツが使われているというのが大きな違いだ。

ピスタチオのたっぷり詰まったクッキーのようなもの、オレンジの香りの粉砂糖のお菓子、蜜のかかったパイのようなもの。名前を聞くことはできなかったけれど、「これ」と指させば簡単に買えた。

そういえば、ミントティーに使われているのも紅茶ではなく緑茶で、少しだけ日本と同じ香りがした。

だが、ナッツの入った油っこいお菓子と、砂糖たっぷりのお茶は、どちらも日本の文化とはほど遠いところにある。少し似ているだけに、その違いは大きく感じられた。

仕事でほとんど自分の時間もなかった五年間も、一杯のお茶とお菓子で休憩するひとときは、わたしにとって大切な時間だった。五分とか、三分とかそんな時間だったけれど、それがなかったら、わたしはもっと早く壊れてしまっていただろう。

その日も、わたしはメディナの中のカフェで、お茶をしていた。

そのカフェは、ちょうど歩き疲れて休みたくなる場所にあるから、これまでも何度か立ち寄っていた。すっかり顔なじみになった店主が「コンニチワ」「アリガト」などと声をかけてくれるのも、うれしかった。

今日は、ショーケースの中からお菓子をふたつ選んだのに、運ばれてきた皿には三つお菓子がのっていた。「間違っている」と手でジェスチャーすると、「これはぼくからだ」というジェスチャーが返ってくる。

よく訪れるからサービスしてくれたようだ。

主人がおまけしてくれたのは、デーツの中になにかが挟まったお菓子だった。デーツはナツメヤシの実で、モロッコではポピュラーなドライフルーツだという。だが、茶色く乾いた見かけがあまり美しくなく、これまでは食べたことがなかった。

おそるおそる口に含むと、ねっとりと甘い。上等のあんこのようだ、と思った。

どこかで食べたことがある。記憶の中に甦ってきた味を探す。

頭に浮かんだのは、祖母がお茶の時間に出してきた、小さな箱だった。

白くてつるりとしたきれいな丸。一見、堅く見えるのに歯を立てれば、それはほんの表面だけだ。内側にはねっとりとした餡《あん》が詰まっていた。

東京では食べたことのないお菓子だった。

「これ、なんて言うお菓子？」

そう尋ねると、祖母は答えた。「松露《しょうろ》と言うんよ」

「しょうろ？」

「松の露という字を書くんよ」

祖母は、包み紙を裏返して、そこにきれいな字で書いた。松露。

和菓子には美しい名前が付いていることが多いけど、これもあまりにも美しい。あんこに白い蜜をかけたものを、松の露と呼ぶなんて。

デーツと松露はまるで違うものだけど、薄皮の下にねっとりとした甘さが潜んでいるところが少し似ていると思った。

なぜか、どうしようもなく泣きたくなって、私は残りのお菓子を口の中に押し込んだ。

そのとき、通りを日本人がふたり、歩いてくるのが見えた。三十代くらいの男性と女性。夫婦だろうか。

ひどく疲れ切った顔をしているな、と思った。男性の方がわたしに気づいて、目を見開いた。駆け寄るように近づいてくる。

「すみません。日本の方ですよね！」

こんなふうに話しかけられるのは珍しい。海外で出会った日本人同士は、たいてい気まずそうに目をそらす。わたしもあえて、日本人と話したいとはあまり考えなかった。

「そうですけど……」

「道に迷ってしまったんです。もう二時間くらい歩いてて……、五時にはホテルに帰らないと、人と約束をしているんです」

わたしは時計を見た。もう四時半近い。

カフェからメディナの出口までの行き方はわかるが、入り組んでいてとても口では説明できない。

ちょうどミントティーも残り少しだった。わたしはそれを飲み干すと立ち上がった。

「わたしもちょうど帰ろうと思っていたんです。一緒に行きましょうか」

今度は女性が頭を下げた。

「助かります。本当にありがとうございます」

話を聞くと、ふたりはわたしと同じホテルに泊まっているようだった。

「わあ、すごい偶然ですね！」

女性は目を細めて笑った。

ふたりはやはり夫婦で、森崎《もりさき》という姓を名乗った。わたしも自分の姓のみを告げる。

「柳《やなぎ》です」

感じのいい人たちだった。歩きながら、ひさしぶりに日本語で話をした。

昨日フェズに到着したばかりだという。そして、明日の午後にはもうマラケシュに旅立ってしまう。

これまで何度かすれ違った日本人は、みんなそんな旅程で旅をしていた。わたしのように、好きなだけ滞在できるというのは、やはり恵まれているのだ。

「柳さんは、何日くらいいらっしゃるんですか？」

「フェズにはもう十日くらい……それからマラケシュに行こうかと思ってます」

そう言うとやはり驚いた顔をされた。

「それで道をご存じだったんですね。軽い気持ちで散歩に出て、えらい目に遭いました」

旦那さんの方が本当に疲れ果てたという口調で言った。

たしかにフェズのメディナの入り組み具合は普通ではない。まさに迷宮の名にふさわしい。わたしもいまだに、決まった道しかわからない。

森崎夫妻は、一週間の日程でモロッコを旅していると言った。ツアーではあるが、添乗員などもおらず、ホテルから駅の送迎にドライバーがつき、ときどき観光にガイドがつく程度の小規模なツアーで、参加者は夫婦ふたりだけだという。

砂漠にも行ったという話を聞いて、少し羨ましくなる。ふたりはラクダで砂漠の民、ベルベル人のテントまで行き、そこで泊めてもらったという。

「シャワーもないし、トイレも野外ですよ。でも、それでも星はきれいでしたけど」

奥さんはそう言って笑った。

ホテルに到着すると、ふたりは何度も礼を言った。

「本当に助かりました。お世話になった人に会う約束をしていたんで、遅れたくなかったんです」

「お役に立ててよかったです」

わたしもひさしぶりに日本語で喋れたことがうれしかった。

モロッコにきたばかりのときは、誰とも話したくなかったのに、少し人恋しくなったのだろうか。

ふたりとはロビーで別れて、わたしは部屋に戻った。

いつもと同じようにシャワーを浴びたあと、少し休んでから夕食を食べに行くつもりだった。

その日はスークの食堂で夕食を食べた。

活気があるし、なによりも安くつく。今日はひとりよりも賑《にぎ》やかな喧噪の中で過ごしたかった。

揚げたズッキーニや魚などを食べてホテルに戻ってくると、ロビーで森崎さんたちに呼び止められた。

「あ、柳さん、お会いできた。よかった」

うれしげにそう言われて、わたしは戸惑う。ふたりは、ロビーでわたしが帰るのを待っていたようだった。旦那さんがおずおずと言う。

「もしよろしかったらなんですけど、夕方のお礼に一杯ご馳走させていただけませんか？」

「お酒ですか？」

「飲まれませんか？」

「あまり……でも、ソフトドリンクでもいいですよね」

今日は珍しく人と話したい気分だった。ふたりはほっとした表情で視線を合わせた。

モロッコの人々はイスラム教徒が多いから、ほとんどお酒は飲まない。それでも観光客のためにお酒を出す店はある。

このホテルにもラウンジがあり、そこでお酒やジュースが飲めた。

ラウンジのソファでふたりと向かい合った。ふたりはモロッコワインを頼み、わたしはガス入りのミネラルウォーターを頼んだ。

ウェイターが行ってしまうと、奥さんが口を開いた。

「実は、行き違いがあって知人に会えなかったんです。でも、わたしたちは明日には出発しなければなりません」

一瞬、なにか面倒な頼まれごとをされるのかと身構えた。奥さんは十センチ四方ほどの小さな箱を出した。

「柳さん、お酒はお飲みにならないとおっしゃってましたが、甘いものはいかがですか？和菓子とか」

「大好きです」

そう言うとふたりは笑顔になった。

「実はお土産《みやげ》で持ってきたお菓子があるんですけど、結局渡せませんでした。このまま日本に持って帰るのもなんですし、よかったらもらっていただけないでしょうか」

奥さんはそう言いながら、その箱をわたしの方に差し出した。

「え？　でも申し訳ないですし……」

「わたしたちは明後日《あさって》には日本に帰りますから。柳さんは、まだしばらくモロッコにいるんでしょう？　和菓子が懐かしくなったりしませんか？」

正直なところわからなかった。和菓子が懐かしいのか、懐かしくないのか。ただ、その箱にどこか見覚えがある気がした。

「どんなお菓子なんですか？」

その質問には旦那さんが答えた。

「松露ってご存じですか？」

わたしははっと居住まいを正した。思わず尋ね返す。

「京都の方なんですか？」

「ええ、そうです。ということはご存じですか？」

わたしは頷いた。

「子供のころ、ちょっとだけ住んでました」

わたしは箱を受け取った。

「いただいていいんですか？」

「もちろん」

わたしは礼を言って、包装紙をそっと開いた。箱を開けると、記憶のままの美しい和菓子が並んでいた。雪のように真っ白で堅そうで、でもそのはかなげな蜜の皮の下には甘く煮詰めた小豆が入っている。

「懐かしい。祖母と一緒に食べました。東京に戻ってから、全然見かけたことなかった」

「そうなんですか？　お好きだったらうれしいです」

「大好きです」

わたしはその箱にそっと蓋をした。大好きなのに思い出すと苦しかった。

「名前がいいですよね。松の露だなんて」

そう言いながらも思う。たかがお菓子に過ぎないのに。

それも美しく作られた色とりどりの生菓子ではなく、単にあんこの固まりに砂糖蜜をかけただけのシンプルなお菓子だ。もちろん、それでも手は込んでいるのだろうけど。

わたしにはこのお菓子が、祖母そのもののように思えた。

美しくて、凜《りん》として、松を濡らす朝露のように透き通っている。

そう考えて、やっと気づいた。

わたしは、祖母のように生きたかったのだ、と。

装いに手を抜くこともなく、日々、細々《こまごま》と立ち働いて、まっすぐに背筋を伸ばしている美しい人。そんなふうになりたかった。

生まれついての容貌はどうにもできないから、せめて心がけや立ち居振る舞いだけでも祖母に近づきたいと思っていた。

だが、できなかった。

大学を卒業して働き始めたのは、まるで嵐にもみくちゃにされているように忙しい会社だった。残業は毎日終電ぎりぎりまで、ランチですらゆっくり取ることもできずに、気がつけば一日なにも食べないままに終わってしまうこともしばしばだった。

土日も休日出勤がほとんどだったし、たまに休みがあっても疲れ切って、なにもすることができなかった。

わたしの頭の中には、祖母の姿がいつもあった。

祖母は朝から雑巾をかけて、窓を拭いていたし、夜はわたしが寝る時間まで、繕《つくろ》い物をしたり、襦袢《じゅばん》に半衿をかけたりしていた。

愚痴など言わずに、いつも微笑《ほほえ》んで、背筋をぴんと伸ばして。

そのイメージで働いていたのに、わたしはいつしか笑うこともできなくなった。なにを食べてもおいしく感じなくなり、遊びたいとか出かけたいとか、なにかが欲しいという気持ちもなくなっていった。

休みがあっても寝ているだけだった。お風呂に入ることすら、面倒だった。

あるとき、会社のトイレで涙が止まらなくなって、わたしは気づいた。このままだと自分は壊れてしまう、と。

そしてわたしは会社をやめた。そのまま、逃げるようにモロッコまでやってきたのだ。

今になってわかる。わたしは逃げたかったのだ。祖母を思い出すすべてのものから。

わたしは祖母のように美しく、凛としていることができなかった。和菓子を見ても、日本家屋を見ても、祖母を思い出すから、日本を離れたかった。

旦那さんは、くすりと笑った。

「いいえ、違うんですよ。松露って、松の露じゃないんです」

「え……？」

「松露って茸《きのこ》なんですよ」

わたしは、ぽかんと口を開けて、彼を見た。

「茸……ですか？」

「そうです。その茸に形が似ているから、松露という名前がついたんです」

わたしはもう一度蓋を開けて、松露を見た。

「こんなふうに白くてきれいな茸なんですか？」

たとえば、ホワイトマッシュルームのような。

「いいえ、真っ黒でごつごつした不格好な茸です。味は最高においしいらしいんですけど」

「松の根元に生えるから、松露と言うのよね」

奥さんがそう旦那さんに確認する。わたしは驚きを隠せなかった。

「不思議ですよね。こんなきれいなお菓子なのに、そんな不格好な茸の名前をつけるなんて」

旦那さんのことばに奥さんも微笑む。

「それを言うならば、不格好な黒い茸に『松の露』という名前をつけるセンスも素敵よね」

わたしは松露をそっと指に挟んで持ち上げた。

白い砂糖衣がきらきらとして、本当に美しかった。

でも、これはきらきらとした露を模して作られたのではなく、真っ黒で不格好な茸を模して作られたものなのだ。


もしかして、わたしは祖母のこともなにひとつわかってなかったのかもしれない。

美しく、凛とした人であることは間違いなくても、わたしが学校に行っている間に、気を抜いていたのかもしれないし、掃除だって面倒だと思う日は、さぼっていたのかもしれない。

完璧な人だったと勝手に思い込む方がどうかしていたのだ。

二十七歳になっても、わたしは松露という名の茸があることすら知らなかった。

子供のころ、たった一年一緒に暮らしただけの祖母のすべてがわかるわけはない。

翌日、わたしはホテルのフロントに聞いてみた。

砂漠に行ってみたいのだけど、ここから出るツアーはあるのだろうか、と。「もちろんです」という答えが返ってきて、胸が弾んだ。

三日後のツアーの予約を入れてもらうように、フロントに頼んだ。

砂漠からそのままマラケシュに移動しよう。そして、そこで気が済むまで滞在したら、日本に帰ろうと思った。

そして、祖母の墓にお参りに行き、そこにデーツのお菓子をお供えするのだ。

あんなに甘いものが好きだった祖母だから、きっと喜んでくれると思う。

融雪

柴田よしき

柴田よしき

しばた・よしき

1995年、『RIKO　女神（ヴィーナス）の永遠』で横溝正史賞を受賞。作品に『激流』『ワーキングガール・ウォーズ』『桜さがし』『フォー・ディア・ライフ』『猫は密室でジャンプする』など。

1

暖かい朝だ、と感じたのは、何日ぶりのことだろう。

三月もようやく半ばを過ぎて、庭の雪も少しずつ消え、黒く瑞々《みずみず》しい土が顔を覗かせはじめた。そのわずかに現れた大地を待ち焦がれていたように、野の花の芽が顔を出している。

それでも、暖炉に薪をくべ終わるまでは手のかじかみがとれなかった。この建物の前の持ち主がペンションを経営していた当時は、ボイラーを使って全館暖房していたようなのだが、今のカフェ Son de vent《ソンドユヴァン》の経営状況では、使いもしない部屋や廊下の暖房にお金はかけられない。

建物の改装をする時に、この暖炉だけは使えるように徹底して直した。ペンションではほぼ飾り物だったのだろうが、ちゃんと薪をくべてやれば、カフェを暖めるのに充分な熱を提供してくれる。訪れる客にも好評で、この店を始めてから初めての冬、この暖炉の前に置いたソファは、この店を贔屓《ひいき》にしてくれる村の人たちのちょっとしたサロンになっていた。

「おはようございます」

カランコロン、とカウベルを鳴らして入って来たのは、村岡涼介《むらおかりょうすけ》だった。奈穂《なお》は思わず、頬のあたりがきゅっと痛くなったような感覚に下を向いた。この頃は涼介の顔を見ると、必要以上に頬が赤らんでしまわないかと不安になる。

「これ、今日の野菜」

涼介は、奈穂のそんな気持ちにはまるで気づいていない。気づいて貰いたくない、と奈穂も思っている。涼介との関係は、このままがいい。

「すみません、わざわざ桜井《さくらい》さんのところまで行ってくださったんですね」

「どうせついでだから。桜井さんとこの野菜は、うちの即売所にも置きますからね。今日の蕪《かぶ》はすごくいいですよ。生で齧《かじ》っても瓜みたいに甘い。ほうれん草は畑で霜にあてた縮れものので、これも甘いです。あとはハウスものだけどイチゴがいいです。でもちょっと品数が少ないかな。これでなんとか、今日のランチ、まかなえますか」

涼介が置いた箱の中には、蕪、長ねぎ、ほうれん草、水菜、イチゴが入っていた。

「ええ、大丈夫です。あとでひよこ農場から卵と自家製ベーコンが届くんです。ほうれん草とベーコンのキッシュが作れるわ。それと、ベジタブル・ランチの方は、蕪と長ねぎを炭火で焼きます。生麩《なまふ》も焼いて、田楽ふうにお味噌を塗ってまた焼いて。どちらにも水菜のサラダをつけます」

「うわあ、美味《おい》しそうだ。キッシュも田楽も両方食べたいな」

「二人前注文していただければ」

奈穂は笑った。

「でも一人じゃ大変でしょう。炭火焼きなんて手間がかかりそうだし」

「キッシュは今から作っておけば、切って温めてトマトのソースを添えるだけだし、蕪も長ねぎも生麩も先に焼いておいて、注文があったら田楽味噌を塗ってもう一度焼けばいいから、たいした手間はかからないんですよ。ただ、換気が心配だから、炭火焼き用のロースターは庭に出しますけど」

「じゃ、雪が降らないといいですね」

「ええ。天気予報では、今日は大丈夫みたい」

「やっと雪の季節も終わりかな」

涼介は窓の外を眩《まぶ》しそうに見た。庭に残った雪に朝日があたり、白く輝いている。

「いろいろ大変だったでしょう、ここでの初めての冬」

「皆さんにすごく助けていただきました。暖炉の使い方もやっと慣れました。寝る前の水抜きとか、すきま風の防ぎ方とか、本当に基本的なこと、わたしわかっていなかったから」

「でも、よく頑張ったですよ、奈穂さん。このあたりのペンションもカフェも、冬期休業のところが多いのに、冬も営業し続けたんだから」

「他に行くところがないし」

奈穂は、卑屈に聞こえないよう、明るい声をつくった。

「ここで暮らすしかないですから、それならお店を開けておいたほうがいいでしょう。冬の間は店を閉めてスキー場で働く、ってことも考えたんですけど、スキー客が寄ってくれるかもしれないと思ったら、なんだかもったいなくて」

実際のところ、スキー客の立寄りについてはあてが外れた。スキーやスノーボードなど、ウインタースポーツの愛好者自体が減っている、というのは、この百合が原高原でも顕著になっている。ひと昔前は冬期もスキー客でそこそこ繁盛していたペンションやホテルが、涼介が言うように、ほとんど冬期休業するようになっている。

この冬、店に来てくれたのはほとんどが地元の人たちだった。新参者が高原の厳しい冬に悪戦苦闘しているのを見るに見かねたのか、何か集まる機会があれば店の談話室を利用してくれ、ランチタイムにもちょくちょく顔を見せてくれる。この村の人たちは温かい、と、奈穂は心の底から感謝している。

おかげで最悪の状態はまぬかれたが、それでも冬期四ヶ月の収支決算は赤字。夏場に少し黒字になった分はすっかりなくなってしまった。春の開店から十ヶ月、初年度決算はほぼ赤字確定だ。

東京での結婚生活に疲れ果て、すべてのことから逃げ出すようにしてこの高原にやって来た。なけなしの貯金に、銀行を拝み倒して借りた開店資金。経営が軌道にのるまでの赤字は覚悟しているが、それも猶予は二年が精いっぱいだろう。それを越えたら手持ちの金がなくなってしまう。

頑張らないと。

「じゃ、またランチタイムに寄ります」

涼介は明るく笑って店を出て行った。

村岡涼介は地元の農業センターに勤める公務員で、やはり都会からやって来た人だった。この店の開店当時、有機栽培の野菜を仕入れる先を知らずに苦労していた時に、センターを通じて取引のある農家との間に入って交渉をまとめてくれた。涼介のおかげで、店で出す料理に使う野菜はすべて、有機栽培のものでまかなえている。

涼介の持って来てくれた野菜を見てからその日のランチメニューを決めるのが毎日の大事な日課だ。

今日のメインは決まった。あとはスープ。スープには、冷凍してある百合根の裏ごしを使おう。店の裏の草地には、夏になるとコオニユリのオレンジ色の花がたくさん咲く。地権者の佐久間《さくま》は店の常連で、時々百合根を掘って持って来てくれる。もともとこの高原は、その名前の通り、様々な百合が咲くことで知られていて、初夏から夏の終わりまでは、咲き乱れる百合を楽しみに来る観光客や写真家たちで賑わうのだ。百合根を蒸して裏ごしし、コンソメスープで溶いて冷凍しておいたものをベースに作る百合根のポタージュスープは、地元客にも観光客にも好評だ。

それ、と。

奈穂はイチゴを一粒、掌にのせた。この時期のイチゴだからもちろんハウス栽培だけれど、さすがに桜井農場で作られたものだけに、見事なイチゴだった。大きさはさほどでもないけれど、赤さが美しい。まるで宝石のよう。いや、その瑞々しい透明感は、どんなに高価なルビーよりもきれいだろう。

ふと、窓の外、庭に残った雪が目にとまった。

そうだ、泡雪羹《あわゆきかん》。このイチゴの赤には、やはり雪のような白が合う。今日のランチには、デザートに泡雪羹をつけよう。

ランチメニューにデザートをつけた方がいい、とアドバイスしてくれたのは、親友の工藤《くどう》南《みなみ》だった。南は、ひよこ農場、という農場を夫と経営している。ひよこ農場では、放し飼いで育てた鶏、有精卵、広々とした草地で走り回らせている豚の肉で作ったソーセージやベーコン、乳製品、地元産のベリー類のジャムなどを生産していて、百合が原高原ひよこ農場ブランドの品はネット通販でも人気商品になっている。さらに南は菓子作りの名人で、南が焼いたクッキーはこの店のカフェタイムに欠かせない。

確かにデザートをつけてから、ランチタイムの客は確実に増えた。手間は増えたけれど、菓子作りはやってみるとても楽しい。泡雪羹はとても簡単で、卵白と砂糖、寒天があれば出来てしまう。キッシュに使う卵の黄身の配分を多くして、余分な白身をデザートにまわせばいい。

ランチメニューの下ごしらえを済ませ、炊飯器をセットしてから、庭の雪かきに出た。十日ほど前まではスコップでどうにか出来るような積雪ではなく、涼介が借りて来てくれた小さなブルドーザで除雪していたが、最近はめっきりと雪も減り、スコップでもなんとか出来る程度になった。百合が原高原にも、ゆっくりとではあるが、確実に春が近づいている。

駐車場と、店先の小道を重点的に雪掃除して、奈穂は汗だくになった顔をタオルで拭いた。吐く息はまだ真っ白だけれど、外に出ていても皮膚が切れてしまうような冷たさは感じなくなった。空気がやわらかくなったのがわかる。

「あの」

背後で声がして振り返った。見覚えのない女性が、店の敷地の外に立っていた。三十過ぎくらいだろうか。赤いダウンジャケットに黒いスキースパッツ、可愛い編み込み模様の入った白い毛糸帽。朝の光に輝く顔がとても白く、眩しい。

綺麗な人。

「あの、リリーフィールド・ホテルはこちらの方角でよろしいんでしょうか」

女性の頬が、冷気で赤く染まっている。

「カーナビのデータが古くて出ないので、住所でナビしたんですけど、なんだか迷ってしまって」

奈穂は思わずにっこりした。自分もこのあたりで暮らし始めた頃、同じ失敗をよくやったっけ。

「地番の区画がとても広いから、住所だとカーナビでは、うまく目的地を表示出来ないでしょう？　わたしもよくそれで、道に迷いました。リリーフィールド・ホテルは去年の秋にオープンしたばかりですものね。この道をこのまま北の方に行って、そうですね、だいたい十五分くらい進むと、赤い屋根の建物が右側に見えて来ます。ひよこ農場、と看板が出ています。その看板の前の十字路を左に折れて、あとは道なりにどこまでも行ってください。十分くらい、だんだん道が細くなってちょっと林の中を登りますけど、すぐに視界が開けます。その開けたあたりに、ホテルの標識が立ってます」

「あら、まだだいぶ遠いんですね」

「たぶん、反対側から来てしまったんだと思います。本当は高速のインターを降りてから、県道に出ずに東に向かった方がリリーフィールド・ホテルのある佐野《さの》峠には近いんです。でもあのホテルが出来るまで、そちらの道は狭い林道でしたから、ナビでは出なかったんだと思います」

「そうだったんですね。良かった、お聞きして。本当にありがとうございました」

「いいえ、お気をつけていらしてくださいね。まだ林の道は路肩に雪がたくさん残っていますから。除雪はしてあると思いますけど」

女性の後方に、銀色のベンツが見えている。チェーンは巻いていないようだが、スタッドレスタイヤくらいは履いているだろう。除雪してあれば新雪が降らない限り、なんとか走れる。

女性は深々と頭をさげ、車に戻って去って行った。

本当に、綺麗な人だった。そして垢抜けていた。けれど、この季節の高原にベンツで乗りつける、というのは、少し場違いな気もする。あの色の白さ、顔の小ささは、一般人という感じがしない。やはり、芸能人？

でも……見覚えがないのよね。芸能界にはたいした興味もないし、この高原で暮らすようになってからは、チャンネルが四つしかない番組欄に慣れてテレビもあまり見なくなった。

いずれにしても、通り過ぎて行くだけの観光客の一人だから、気にしても仕方ないけれど。

庭の雪かきを終え、店内の清掃を済ませるともう午前八時半。九時の開店までに、もう少しすることがある。

裏庭に、この建物がペンションだった頃からある小さなサンルームが立っている。母屋と繋がってはいるが、サンルームの部分は三方の壁と屋根がガラス張りだ。冬の間、奈穂はこのサンルームでサラダ用の野菜を少し育てている。ルッコラやサラダ菜、水菜など、ベビーリーフのうちに収穫できる菜類、それとプチトマトだ。サンルームの中にストーブを入れただけの適当な温室だけれど、そこでなんとか健気に夏野菜が育っていた。今朝も、朝食タイムに出すサラダ用の菜類とトマトを少しだけ摘む。

店に戻ると、南がいた。

「おはよう。伊藤《いとう》さんとこ寄ったから、ついでにおたくの分、預かって来た」

南が籐《とう》製のパンケースを開けた。焼き立てのパンの素晴らしい香りが店中に広がる。

伊藤夫妻が経営しているあおぞらベーカリーのパンは、奈穂がこの高原で見つけた食材の中でもぴか一に素晴らしいと思っているものだった。南もあおぞらベーカリーの信奉者で、自分でもパン焼きをするくせにわざわざ買っている。

「ごめんなさい、わざわざありがとう」

「いいのよ、伊藤さんの旦那さんが配達に出ようとしてたんで、奈穂のとこの分あるなら持って行くわよ、ってこっちから声かけたんだから」

「朝ご飯、食べて行く？　どうせもう開店だから」

「わあ、食べる食べる。って知っての通り、六時にうちでしっかり、卵かけご飯食べて来たんだけどねえ。ま、カフェのブレックファーストは別腹だからね」

「どっちにする？　カスクートとイギリスパン」

「うーん、今朝はイギリスパンの気分かな」

「トーストは？　焼き立てだからトーストしなくても美味しいとは思うけど」

「そうねえ、でもやっぱり焼いて。はいこれ、うちのバター。今朝作ったばっかりだから、最高よ。これをのっけて食べたいからトースト」

南が麻の袋から白い紙に包まれた塊を取り出す。ひよこ農場のバターは最高だ。それに卵、ミルク、生クリーム、チーズ、ベーコン。南が取り出した食材はどれも、この村の宝物だと奈穂は思う。この店、Son de vent には、この村の宝物が毎日こうして集まって来る。

頑張らないと、と、奈穂はあらためて思った。頑張って、今年こそこの店を黒字にする。そしてこの村の宝物を、都会から来た人々に味わって貰うのだ。それが、何も知らず右往左往するだけだった自分を、温かく迎え入れてくれたこの村の人たちへの、たったひとつ出来る恩返しなのだから。

厚めにカットしたパンをトーストしている間に、摘み取ったばかりのベビーリーフとスライスしたミニトマトをオリーヴオイルとバルサミコ酢でさっとあえ、黒胡椒《こしょう》をふる。コーヒーは南の好みに合わせてペーパードリップでいれた。エスプレッソマシーンもあるのだが、南はドリップコーヒーのほうが好きなのだ。奈穂自身は最近、カフェプレスで簡単にいれたコーヒーが気に入っている。少し濁って油分や豆の糟《かす》などが浮いているのが、むしろ楽しい気がする。東京で暮らしていた頃は紅茶一辺倒で、コーヒーはスターバックスに寄った時に頼む程度だった。今でも無理に選べと言われたら紅茶を選ぶが、店の中がコーヒーの香りで満たされる瞬間、瞬間に、たまらない幸福感をおぼえるようになった。まだまだコーヒーをいれる技術は素人《しろうと》のレベルだと自覚しているので、客の注文に応じる一回ずつが修業だと思っている。

卵料理はつけない。南は毎日、朝の農作業を終えると自分の農場の鶏が産んだ新鮮な卵で、贅沢な卵かけご飯を食べている。どんなに気張って料理したところで、それに勝てるわけがない。そのかわり、ベーコンを切ってオイルをひかないフライパンに二枚、のせた。そのまま弱火でじっくり、ベーコンから染み出た脂がフライパンに満ちて、その脂でさらにベーコンを揚げるような状態になり、やがてベーコン自体が縮んでカリカリになる、カリカリベーコンが南の大好物なのだ。

「お待たせ」

朝食のプレートを南の前に置いた時、南が読んでいる雑誌に目がとまった。見開きのカラー頁に、水色のスーツを着た女性の写真があった。

「あら、その人」

「え？　あ、安西美砂《あんざいみさ》？」

「安西、美砂っていうの。その人芸能人？」

「やだ、奈穂ったら知らないの？　最近よくテレビにも出てるわよ」

「テレビあんまり見てないのよ。何してる人？」

「経済評論家、ってやつ？　経済アドバイザーかな。独身女性に不動産の買い方を教えたり、年金のこと解説したり、ローンの組み方とか、まあそんなことといろいろ、朝のワイドショーなんかでコーナー持ってる。人気あるみたい」

「その人、さっき、通りかかったの」

南が驚いて雑誌から顔を上げた。

「ほんとに？」

「うん。たぶん……人違いじゃないと思う。カジュアルな服装だったけど、すごく垢抜けていたから。一般人じゃないな、って感じたの。一人で、車運転してて、リリーフィールド・ホテルまでの道を訊かれた」

「へえ。こんな季節に一人で、ねえ。春スキーでもするのかしら」

「そう言えばスキーパンツ穿《は》いてたけど、でも車はベンツのセダンで、スキー板は屋根に積んでなかったわ」

「安西美砂ともあろう人が、まさかね、レンタルスキー板ってことはないわよね。じゃ、なんだろう。ただのリゾートかしら。リリーフィールド・ホテルってスパ施設あったっけ？」

「さあ……そんなに大きくないわよね、あそこ。宿泊代はものすごく高いらしいけど」

「女一人でリゾートするのに、スパとエステがないホテルなんか選ばないわよね。きっとあるのよ、隠れ家エステっぽいのが。あ、それとも、誰かと待ち合わせかな。お忍びでお泊りデートとか」

「独身なの？　この人」

「そのはずよ。若く見えるけどもう四十くらいかな。十代の頃にアイドルでデビューしたんだけど芸能界の水が合わなくて数年で引退して、普通に大学出て、アメリカの大学に入ってそこでなんとかいう資格とったんだって。で、ずっとアメリカで投資コンサルタントの会社に勤めてて、そこで重役にまでなっちゃって、でもなんでか急に帰国して本出して、それが売れて、今やテレビに引っ張りだこ。いいわよねえ、こんな綺麗な顔に生まれてその上頭もいいなんて。天は二物を与えず、なんて言うけどさ、与えられてる人には与えられてるもんなのよ、二物でも三物でも」

「独身なのか。じゃ、お泊りデートでも問題なしね」

「まあそうだけど、でも興味あるわね。いったい相手の人、誰かしら。わあいい匂い。わお、ベーコン、カリカリッ！」

「ジャムかはちみつもいる？」

「ううん、今日はいい、バターだけで。いただきまーす」

南が本当に美味しそうに、二度目の朝食をたいらげている間に、奈穂は安西美砂の記事を読んだ。南がかいつまんで話した通りの履歴が語られている。が、さらにこんな一文もあった。

『昨年の夏、突然転機が訪れました。ある朝、目を覚ましてみたら、世界がそれまでとは違った色に見えた。すべてが色を失ったように寂しく、物足りなく感じられたのです。そしてわたしは、その変化の正体を知っていました。望郷。わたしはホームシックにかかってしまったのです。日本に帰りたい。生まれた国に戻りたい。アメリカの地をこの足で踏んで十数年、ようやく、成功したね、よかったね、と周囲の人々に祝って貰えるようになったところなのに、わたしにはもうアメリカで手に入れた成功のすべてが、ただの過去になっていました。この気持ちはごまかしようがない。わたしは即座に決心し、退職を願い出、荷造りを始めました。日本に戻ってどうしようか、どうやって食べて行こうか、あてなど何ひとつありませんでした。それでも成田に着いて入国審査を通った瞬間に、わたしは嬉しさで泣き出していたのです。帰って来た。自分は戻って来たのだ、故郷に』

2

朝の暖かさが午後まで続いて、ランチタイムが終わる頃には庭の雪もかなり融けていた。屋根に積もった雪も融けて流れて、ぽたぽたとあちらこちらに水滴が落ちて来る。店に入る客の頭が濡れないよう、モップで出入り口の真上の庇《ひさし》だけ、水を拭きとってみたが、屋根から流れる水はすぐ庇に溜まり、またぽたぽたと下に落ちた。冬の間は雪の白の他は、柊《ひいらぎ》や観賞用の背の低いモミの木の緑以外に色らしい色のなかった庭に、水仙の花が咲き始めている。今年の春にはどんな草花を植えようかしら。昨年は開店したのが初夏だったので、春の花をこの庭で楽しむのは今年が最初だ。秋に埋め込んだチューリップも、雪をのけてみるとほんの少しだけ芽を出していた。

「遅くなっちゃったけど、まだランチありますか」

涼介の声が店内に響いたのは、二時少し前。

「大丈夫です。あら……そちらは」

涼介の後ろに、涼介より少し年上に見える男性が立っていた。

「あ、井村《いむら》といいます」

男性は威勢よくお辞儀をした。

「村岡くんの友人です」

「先輩なんですよ、大学の。今、県の仕事で農協センターに派遣されてるんです」

「県庁の方なんですか」

「いや、この人、国家公務員なんですよ。こう見えてもね、農水省のお役人です」

「こう見えても、ってなんだよ、こう見えてもって」

井村は明るく笑った。

「いや、村岡くんがイチオシのランチがあるって言うんで、それならぜひ連れて行け、と来てしまいました。しかしなんだ、俺、お邪魔虫だったか？」

井村がからかうように言ったので、奈穂は思わず下を向いた。

「やめてください、もう。ほんとに美味《うま》いんですよ、ここのランチ」

「じゃ、とにかくいただこう。ランチ二つお願いします」

「先輩、勝手に注文しないでください。ランチは二種類あるんですから」

「二種類？」

奈穂は慌ててメニューを手渡した。二人は店の中央のテーブルに座った。

「へえ、ベジタブル・ランチなんてあるんだ。ベジタリアン用ですか」

「特にそういうわけでもないんですけど、お野菜だけのランチです。百合が原高原はお野菜がとても美味しいので、食べていただこうと」

「ここの野菜は、センターに納入される有機栽培野菜の生産農家から仕入れてるんです。品質は僕が保証します」

「それは楽しみだ。で、今日のランチメニューはなんですか」

「普通のランチは、メインがほうれん草とベーコンのキッシュ、トマトソース添えです。それに蕪と水菜と胡桃《くるみ》のサラダ、百合根のポタージュ、カスクートにチーズをのせて焼いたものか、ライスが選べます。ライスは五穀米です。ベジタブル・ランチの方は、メインが、蕪と長ねぎと生麩の田楽ふう。炭火で焼いて田楽味噌をつけてあります。それにほうれん草のごまあえと、水菜と油揚げの煮物、百合根と白味噌のポタージュふうお味噌汁。今日は和風なので五穀米がセットですけど、ご希望でしたらチーズカスクートを選んでいただいても。どちらもデザートと、コーヒーか紅茶、ウーロン茶の中からお好きなお飲み物をお選びいただけます」

「うわー、どっちも美味そうだなあ。両方食べたいな」

「二人前頼んだらいいじゃないですか。先輩なら楽勝でしょ」

「俺だっていつまでも若くはないんだ、学生の時みたいに食えないよ。俺はベジタブルにしてみよう。でもキッシュも味見したいから、おまえそっち頼めよ」

「つまみ食いなんかさせてあげませんよ」

「ケチなこと言うな」

「先輩の方からも少し味見させてください。それならいいです」

「おまえ小学生みたいだな」

「どっちがですか。じゃ、ランチひとつずつで、僕、食後にコーヒー」

「俺もコーヒーお願いします」

他に客がいなかったので、奈穂は二人のプレートにほんの少しずつ、つまみ食いの分を余計にのせて出した。キッシュの脇には田楽味噌のついた蕪と長ねぎと生麩を、和風の皿にはキッシュの小さな一切れを。

「わわ、感激だなあ。村岡、素敵な人見つけたじゃないか。で、式はいつなんだ」

「先輩、いい加減にしてください。奈穂さんとはそういう関係じゃないです。僕のことなんかより、先輩はどうなんですか」

「俺は、もうしばらく一人を楽しむ」

「官僚がいつまでも独身なんていいんですか」

「なぜ悪い。独身者を差別するのか、おまえは」

「僕だって独身ですよ。ただ、先輩みたいなはちゃめちゃな人は、ちゃんと奥さんもらって手綱をしめて貰った方がいいですよ」

「うおお、この田楽うまいぞ。蕪が最高だ。結婚なんてしなくても、人生はそれなりに楽しいさ。こうやって外で美味いもん食えるんだし。第一、結婚なんて考えないほうが純粋に恋愛出来るだろう。結婚を前提とした恋愛なんて、不純だ」

「先輩の口から不純って言葉が出るとは思いませんでした。あ、ほんとこの蕪美味いな。それとほうれん草もすごいですね。甘いや」

「お野菜がいいから、お料理も楽しいです」

「いや、奈穂さんの腕もいいんですよ、もちろん。ああ、百合根もポタージュに合いますね。とにかく先輩、先輩が独身主義者だってのはわかりました。でもそれなら、僕にもすぐ結婚しろ結婚しろ、式はいつだって言うのやめてください。自分は結婚する気ないのに、他人に押し付けてどうするんですか」

「いや、人にはね、向き不向き、ってものがある。おまえは結婚生活に向く男だよ、村岡」

「そんないい加減な」

「俺にはわかる。わかるのさ、ってこの飯も美味いなあ。いや、確かにおまえのお勧めだけはある。この店のランチは絶品です」

「ありがとうございます」

二人は先輩と後輩、とは思えないほど親しげで、まるで兄弟のようだった。軽口をたたきあいながら、あっという間にランチを食べ終える。

奈穂は、デザートを皿にのせ、コーヒーをいれた。

「おっ、なんですかこのデザート、洒落《しゃれ》てますね！」

皿の上の菓子を見て、二人が歓声をあげた。

「ほんとに可愛らしい。イチゴのまわりの白いの、メレンゲですか」

「泡雪羹なんですよ」

「あわゆき、かん？」

涼介がガラスの皿を目の高さに持ち上げた。

「ババロアみたいですね」

「洋菓子みたいですけれど、和菓子に入ると思います。寒天を使いますから。メレンゲにお砂糖を入れて寒天で固めるんです。これは、型にその寒天液を流し込んで、少し固まったところでイチゴを入れて、さらに液を入れて固めたものです」

「なるほど、泡雪羹か」

「あ、そうか、そう言えば先輩の実家、和菓子屋さんでしたね」

「あら、そうなんですか」

「ええまあ。田舎町の、ですが」

「T市でしょう？　大きな町じゃないですか。先輩の実家は、老舗《しにせ》の和菓子屋さんなんですよ。江戸時代から続いてる」

「田舎じゃ明治維新の前から同じ商売してる家なんて、いくらでもあるよ」

「でも先輩の実家、アメリカにも出店したんでしょ」

「あっちのレストランのデザート部門に、うちの和菓子を提供することになっただけだ。出店なんか出来ないよ。そんな金ない」

「半年くらい前にニューヨークの新聞に記事が出たじゃないですか。インターネットで読みましたよ」

「だから、全部向こうのレストランの力だよ。うちはただ、たまたま全国和菓子コンクールで賞をとった栗の菓子を、ぜひ店で出したいからって話が来たんでのっただけだから。冷凍して輸出するだけで、あとは何もしてないし」

井村は、泡雪羹に添えた竹楊枝《たけようじ》を器用に使って食べた。なるほど、きちんと躾《しつけ》を受けた食べ方だった。

「うん、いいですね、これ。和菓子といえば和菓子なんだが、コーヒーにも紅茶にも合いそうで。イチゴと相性いいな」

「イチゴの断面が綺麗です。これは女性にウケそうだ。そうだ、これ、桜井さんに教えてあげていいですか。ハウスのイチゴ作ってるのはこのあたりでは桜井さんとこだけで、地元消費分くらいしか生産出来ないんですよ。なので地元で引き取ってくれるとこを探してるんだけど、イチゴの場合どうしても、ブランド物が強いですからね。とちおとめだとか、あまおうだとか。こういうお菓子のレシピとセットで、地元のレストランやホテルに売り込む手はありますね」

「村岡、おまえほんと仕事熱心だな」

「僕はしがない地方公務員ですからね、先輩みたいな公務員ヒエラルキーの上位にいるわけじゃないんで、目の前の仕事をめいっぱいやらないと活路は見出せません」

「俺たちが遊んでるみたいに言うな。なんでもかんでも、悪いことは全部官僚のせいにするのはこの国の国民のいけない癖だ。しかし、うん、これはいいですよ。イチゴと泡雪羹か」

「気に入っていただけて良かった。今日来てくださったランチのお客様には、皆さん好評をいただきました」

「しかし泡雪羹とは、懐かしいなあ」

「何か、想い出でもあるんですか」

「ええ、まあ」

井村はコーヒーをすすり、ふう、と息をついた。

「想い出って言えば想い出、かな。学生時代にね、つきあっていた子がいて。いや……ま、この際正直に言っちゃいましょう。美味しいランチのお礼ってことで。結婚をね……したいと思ったのはその女性だけなんです、これまでの人生で」

「あら……ロマンチックですね」

「まあ、若い頃の想い出ですからね。その子、大学に入る前に芸能界にいたんですよ」

「マジですか。先輩、そんな話してくれたことないですよね。子役か何か？」

「ま、そんなようなもんだ。でも芸能界の水になじめなくて引退して、普通の女子大生になってた。だけど一度でも芸能界にいたような子だから、ちょっと垢抜けてて、可愛くて。まあなんだ、むちゃ惚れてたわけだ。でね、一度だけ、その子を実家に連れてったことがあるんだ。それで実家でさ、泡雪羹を出してくれて。こんなおしゃれなんじゃなくて、昔からある、下半分が柚子《ゆず》味の黄色い寒天羊羹で、上が泡雪羹の、あれ。その子、泡雪羹を食べたことがなくて。ババロアだと思ったのに、ババロアより男前な口どけね、って」

「男前な、口どけ」

奈穂は感心した。

「素敵な表現ですね」

「なんかよくわからないけど、俺も気に入ったんです、その言葉。ゼラチンより固めに溶ける感じを言ってたんだと思うけど。それ以来、二人で何か食べる時、これは男前な口どけだ、とか、男前な味だ、なんて言うのが流行った。二人の間だけの流行りになったんです。今ね、それをちょっと思い出した」

「その女性とはなぜ結婚なさらなかったんですか」

「いや……なぜなのかなあ。未だによくわからないんです。ただ、彼女も俺も、結婚する前にもう少し、夢みたいなものを追いかけたかったのかも。卒業後も交際はしていたんですが、僕は公務員になり、彼女は大学院に進んで、それでアメリカに留学しました。結局は、海を隔てた遠距離恋愛なんてそう長続きはしなかった。いつのまにか疎遠になって……彼女は向こうで成功して、昨年凱旋帰国しましたよ。もうすっかり雲の上の人です」

「今、何やってるんですか、その人」

「テレビに出まくってるよ」

「え、芸能界に戻ったんですか」

「いや、経済評論家ってやつ」

「あの」

奈穂は思わず言った。

「まさかそれ、安西美砂さんのことですか」

「あ、知ってますか、安西美砂。そうですよね、女性には特に支持者が多いらしい」

「いえ、そうではなくて……今朝、いらしたんです」

「いらしたって？」

「この村に。今、リリーフィールド・ホテルにいらっしゃると思います」

3

朝、桜井農場から配達された今日の野菜は、立派な白菜、水菜、それに大根。白っぽい野菜ばかりなので、料理に色を添える工夫をしないと。人参のピューレを作って冷凍してあるから、あれで、何か出来ないかしら。じゃがいもがまだあるから、メインはあとで南が持って来てくれることになっているポークにしよう。香ばしくローストして、ピンクの粒胡椒を散らして、温室でバジルを摘んでジェノベーゼソースを作って、人参ピューレのソースとバジルソースの二色。付け合わせはじゃがいも。チーズと生クリームとアンチョビでオーヴン焼きしよう。ヤンソンの誘惑、じゃがいも料理の傑作だ。サラダは水菜とカリカリベーコンで。ベジタブル・ランチの方は、大根のステーキがいいかな。野菜コンソメで煮て、フライパンで焦げ目をつけて、バルサミコ酢のソースでどうかしら。それとも、トマトソースの方がいい？　うーん、試作してみないと。それに白菜蒸し。豚バラ肉を使うと美味しいんだけど、ベジタブル・ランチだものね、豚バラは使えないから、えっと……お豆腐をそぼろにして、瓶詰めで保存してある筍《たけのこ》と人参と一緒に炒めて中華風に味つけして、白菜で巻いて、野菜コンソメと豆乳で煮てとろみつけて。うん、いけそう。デザートは、今日は木曜日だから、伊藤さんがパイを持って来てくれる日。何のパイかしら。りんごかな。それともルバーブ。あおぞらベーカリー製のパイはものすごく美味しい。ご飯は、そろそろ春の香りを演出してみよう。ふきのとうが庭に出ているかしら。出ていれば刻んで味噌味にして、白いご飯に添えるだけでいいんだけどな……

カランコロン。

メモを取りながらメニュー作りに没頭していた奈穂は、カウベルの音に驚いて振り返った。南だとばかり思って、今日は早いのね、と言いかけた言葉がとまる。

安西美砂。昨日と同じ赤いダウンジャケットに、今日はジーンズを穿いていた。帽子は昨日と同じもの。カジュアルでどうということのないコーディネイトだが、美砂を実年齢より確実に若く見せている。

「あ、あの、開店はまだ……」

「ごめんなさい、お忙しいところお邪魔してしまって。昨日はどうもありがとうございました」

「あ、いいえ、とんでもない」

奈穂は立ち上がった。

「わざわざいらしていただかなくても」

「帰り道なので、ちょっと寄らせていただいたんです」

「もうお帰りになられるんですか」

美砂は微笑《ほほえ》んだ。

「予定を切り上げることにしました。とてもいいホテルだし、このあたりも素敵なところなので、もったいないんですけど」

「あ、あの、ハーブティーでもいかがですか。ちょうど今、わたし、飲もうと思っていたところなんです」

「え、でもご迷惑では」

「大丈夫です。今、ランチのメニューを考えていたところで。まだ時間の余裕はありますから」

本当は、少し凝ったメニューになりそうなので下ごしらえを始めたかった。だがどうしても、美砂と話がしたい。美砂は予定を早めて帰るという。それはどういうことなのだろう。昨日、井村は自分の決心を行動に移したのだろうか。それとも何もしなかったのか。

「あら、カモミールですね、この香り」

「わかります？　庭にたくさん咲くので、花を乾燥させておくんです」

「ジャーマン？」

「ええ。ローマンだと香りが強過ぎてお茶にすると好き嫌いが出ますから」

「でもジャーマンは確か一年草ですわよね。毎年、種をまかれるの？」

「いいえ、こぼれ種でどんどん咲くんです。この店はまだ開店して一年経たないんですけど、前はここ、ペンションで、その頃からずっと庭の一角がカモミールで埋まっていたようです」

「まあ、羨ましい。さすがに高原は違うのねえ。わたしも憧れなんです。お庭のある家で好きな草花を育てるって。今はマンション暮らしだし」

「いいところですよ、百合が原高原は」

「ええ」

「またいらしてくださいね。今度はもう少し、ゆっくり」

奈穂の言葉に、美砂は、ふふ、と笑った。やわらかな笑顔だった。

「井村くんから、電話、ありました。昨夜」

「あ、そ、そうですか」

「あなたが連絡しろと、彼の背中を押してくれたのだとか」

「え？　い、いいえ、そんな、背中を押すだなんて。ただその、せっかく偶然近くにいるのだし、も、もしかしたらその」

「もしかしたら、わたしの方が井村くんに逢いたくて、ここに来たのかもしれない……？」

「あ」

奈穂は座ったまま頭を下げた。

「ごめんなさい。差し出がましいことをしました。本当にごめんなさい」

「……あなたの想像した通り、です」

美砂は、ふう、と息をはいた。

「わたしは……井村くんに逢いたくて……逢いたくなってしまって……ここに来たんです。半年前の夏の朝、なにげなく開いた新聞に、井村くんのご実家のことが載っていたのを見たの。それまで忘れようとしていた、心の中に封印してしまっていた、井村くんの顔が……その時からもう、目の前から消えることがなかった。前の晩まで、ここここそが自分の生きる場所なのだ、と信じて疑わなかったニューヨークの摩天楼が、すっかりモノクロ写真のように色を失った。ネイティヴに負けないヒアリング力があったはずなのに、街に溢れている英語の会話が、無意識には聞き取れなくなった。すべてがもう、よそよそしくて。ただ井村くんの笑顔だけが、まるで道しるべのようにわたしの前にあるんです。ああ、これが、故郷に帰りたいと思うということなんだな、とわかりました」

美砂はにっこりした。

「なのに、いざ戻ってみると、勇気が出なかったの。どうせもう井村くんは結婚しているだろう、お子さんもいるに違いない。それを知ってしまうのが怖くて、彼の消息は調べませんでした。その寂しさ、やるせなさを忘れたくて、戻ってからも猛然と仕事をして。そのうちに……寂しかったから……わたしの最初の本を出してくれた出版社の編集者と恋仲みたいになって。だけどその人には家庭があるんです。それに……わたし自身、どこまでその人に対して本気なのか、自分でもよくわからなかった。だらだらと未来のない関係を続けていることに嫌悪感はあっても、そこから脱出すればまたひとりぼっちになる。それが怖かった。なのに偶然、井村くんがここで働いていることを知ってしまった。テレビの情報番組で、リリーフイールド・ホテルを特集していたんです。何気なくそれを見ていたら、井村くんが画面に映ったの。信じられなかった。地産地消プロジェクトの推進がどうのこうの、お役人ぽく喋っていた。初めは他人の空似かと思ったけれど我慢できなくて、テレビ局に調べて貰って……」

「井村さんも……ずっとおひとりでしたね」

「ええ。昨日、電話で、彼の口からそれを知りました。わたしたち、どうして別れちゃったのかな、って……笑い合った。でも笑いながら、涙がとまらなかった」

美砂は、カモミール・ティーの香りを、深呼吸するように吸った。

「彼が言ってました。このお店で、とても美味しいイチゴの泡雪羹を食べたって。そしてわたしのことを思い出した、って」

「男前な口どけ、素敵な表現ですね」

「やめて」

美砂は笑った。

「ちょっとかっこつけただけ。若い頃って、どうしてあんなにいちいち、かっこつけちゃうのかしら。泡雪羹はふわふわっとしていて、女性的な風味なのに、男前、なんて的外れなこと言っちゃった。でも仕方ないのよね、若いってそういうことだから。かっこつけて我慢して、でもいつも的外れ。後悔する選択ばかりしてしまう。好きなら好き、結婚したいなら結婚しよう、それでよかったはずなのに、お互いが仕事で成功しているかっこいいセレブな夫婦、そんなものになれないと満足出来ないなんて思っちゃった。本当は、もっとわたし、泥臭くて田舎っぽい女だったのに。芸能界を引退したのだって、結局は勝てないと思ったからなのよ。わたしには才能がなかった。同じ年ごろの他のアイドルたちを見ていればわかったもの。わたしじゃ無理。成功は出来ない。高校生でそれをさとっちゃって、さっさと逃げたのよ。でも心の中ではずっと、芸能界に残ってそれなりに生きて、女優なんかやってる子たちのことが羨ましかった。悔しかった。今になって、流行にのせられるままホイホイとテレビに出ちゃってるのも、きっとその反動だわ。本当はそういうこと、わたし、全部嫌いなの。だってわたし」

美砂はおかしそうに笑った。

「泡雪羹を初めて食べた時、彼に言っちゃったんだもの。男前な口どけでなかなかいいわね。でもちょっと物足りないわ、口の中ですぐ溶けちゃうなんて。わたしやっぱり「牛乳羹の方が好き」

奈穂が言葉を引き取ると、美砂は驚いた顔になった。

「……そんなことまで、彼……憶えててくれたのね」

「はい。それで、わたし、すごく共感したんです。安西さんに」

「……わたしに？」

「ええ。だってわたしも本当は、牛乳羹のほうが好きなんですもの。だから昨夜、自分のおやつ用に作っちゃいました」

奈穂は厨房に行き、冷蔵庫を開けた。


「はい、よかったらどうぞ」

ガラスの皿の上に、四角く切った白い牛乳羹。

美砂は、とても幸せそうな笑顔になった。

「みかんが入ってる。缶詰の」

「はい、牛乳羹に入れるなら、やっぱりこれかな、って。でもこれは、ちょっとこのカフェでお客様にお出しするには、あまりにもその」

「……普通過ぎる」

「ええ。せっかく高原のカフェに来て、缶詰のみかんが入った牛乳羹は」

奈穂は笑った。

「でも今度、ミントの葉を入れて、ラズベリーの砂糖煮とかでおしゃれに作ってみようと思っているんです。それならお客様に出せそうでしょう。高原の美味しい牛乳で作るんですから、味は抜群ですよ」

「ほんと、美味しい」

美砂は明るく言った。

「牛乳の味が、濃いけれど爽やかで美味しいです。でもこれもやっぱり和菓子なのかしら」

「さあ……寒天を使いますから、洋菓子ではないですよね」

「そうよね。だけど……まあ、どっちでもいいわね。どちらにしても」

「男前な口どけですから」

二人は笑い合った。

庭の朝日の中で、安西美砂はとても美しかった。

「また来ます」

美砂は言った。

「何もかも、きちんとしてから、また。もう、かっこつける人生はおしまいにします」

「はい、お待ちしています。でも、大人になっても若い頃のようにかっこつけて生きる、それもちょっと、憧れますよ、わたし」

「そうね」

美砂は笑って、ベンツのドアを開けた。

「たぶん、全部捨てることなんて出来ないわ。わたしは臆病ですもの。でも、いちばん大事なものをいつも目の前に見ていたいから、その程度には視界をクリアにします。井村くんがどこまで受け止めてくれるか、それもまた楽しみね」

男がどこまで自分を受け止めてくれるのか。それを楽しみに見守ろう。

美砂は、やはり強い人だ、と奈穂は思った。

そう、男前な女性だ。

ドサッ、と小さな音がして、屋根からまた雪が落ちた。

融雪の季節。

春だ。

和菓子

糖質な彼女

木地雅映子

木地雅映子

きじ・かえこ

1971年、石川県生まれ。1993年、「氷の海のガレオン」が群像新人文学賞優秀作に選ばれ、デビュー。作品に『悦楽の園』『マイナークラブハウスへようこそ!』『あたたかい水の出るところ』など。

お母さんのスリッパの、ぺたぺたと引きずるような足音が遠ざかるなり、その医者は親切そうな微笑《ほほえ》みをひっこめて僕を眺め、

「腐るぞ、おまえ。」

と、見下げ果てたような口調で言い放った。

「……は」

はあ？　なに言うんだ急に！　と口答えするでもなく、はあそうなんですか、と受け入れるでもなく。

僕はどちらとも取れるような、曖昧な返事をする。そして、言われた言葉の意味を、必死で考えはじめる。腐る？　って何が？　僕の頭？　それとも魂とか？

「ま、おまえみたいなやつ、いっぱい来るけどな。今朝はどうでしたか、とか、まだ頭は痛みますか、とか、こっちがいろいろ問診しても、なにひとつ自分では答えやがらねえ。かわりに母親がすぐ『えーと熱はないんですけど頭はまだ痛いって言って』とか口出しして、仕舞いにゃ横滑りして『こんなことになる前は優秀な子だったんですー』とか泣き出すのを、叱られた犬みたいなショボくれた顔して、黙って聞いてんの。ハタチにもなってよ。へっ、

だっせえ。」

まるで同世代の、下品な男子どもみたいな口調のマシンガントークを聞いて、僕の頭に、かあっと血がのぼりはじめる。

同世代の男は、苦手だ。みんな、僕をバカにする。

このひと、お医者さんだから、カテゴリーとしては学校の先生的な『大人』だと思って安心していたのに。よく見ると、まだけっこう若いし、鼻筋は通ってるし、髪もカッコつけてるし、片耳にピアスまでしてる。いかにも僕のキライな、イケメンで女子にモテるタイプの男子が、そのままの路線で医大に入って免許も取りました、俺勝ち組、みたいな雰囲気を醸《かも》し出してる。

「ぼ……」

僕は、と反論を試みて、そこでくじける。

脇の下を、冷たい汗が流れ落ちていく。目線が勝手に、お母さんの出ていったカーテンの方に流れる。助けを求めるように。

「予言してやるけどな、おまえ復学、ムリ。ひきこもり人生まっしぐら。」

僕のカルテを、まるで汚れた雑巾かなにかのように、指先でつまんでひらひらさせながら、医者はさらに嘲《あざけ》りつづける。

「こう、こっちが聴診器かまえて、服めくってくれますか、って頼むじゃん？　そこで、自分でシャツめくり上げるやつは、まだいいんだよ。少なくとも、自分でやろうとする意志が残ってるなら、望みはある。ところがおまえみたいに、うつむいたまま指1本動かさねえで、母親に『ほら、ヒロくんバンザイしてー』とか言われてズボンにまで手ぇつっこまれて、やっと腹出してるようなやつは、もう1ミリも可能性残ってない。そのまま大学を休み続けて、中退して、就職もしない。あのお母ちゃんにパンツ穿《は》かせてもらいながら、オッサンになって、ジジイになる。お母ちゃんが先に死んだら、そこで飢え死に。ジ・エンド。」

「パ……」

パンツくらい、自分で穿いてるよ！

と、怒鳴《どな》り返そうとして、やっぱり声が出ない。

「おまえ、最初の1文字しか言えねえのかよ。」

もはや、バカにして笑っていられるレベルも通り越した、と言わんばかりの呆れ顔になって、医者はため息をつく。

「まあ……いいけどさ、別に。おまえみたいなやつが、ひとり増えようが、ふたり増えようが。地球はー、かわーらず、まわってー行くのーだからー♪」

「こ……」

鴻島《こうのしま》りりちゃんの曲を歌うな！　高校時代の僕が、あのひどいイジメに耐えながら、なんとか受験を乗り越えて、とりあえず大学生になることができたのは、りりちゃんのおかげなんだぞ！

12歳で超絶美少女としてモデルデビューして以来、忙しい芸能活動の傍ら勉強にもまじめに取り組み、旧帝大に合格した才媛。歌にドラマに大活躍だけど、低俗なバラエティ番組はちょっと苦手で、撮影の合間にはいつも詩集を読んでいたという、不思議系アイドル。

映画の主演が決まった矢先、突然の体調不良で芸能界から姿を消したが、ネット上の噂では、引退は背中に生えた天使の翼が隠しきれなくなったせい、ということになっている。いや、それはただの噂ではない。真実なんだ。ネットのりりちゃんコミュニティには、コンサートでその翼を確かに見た、と書き込んでるやつが、何人もいる。僕は信じる。りりちゃんは天使だ。僕のような、繊細すぎてこの腐った日本に適応できない男たちを見守る、美しき守護天使なんだ！

その、鴻島りりちゃんの歌を！　こんなリア充の医者が！

「リア充がりりちゃん歌うんじゃねー！　とか思ってるだろ。解りやすすぎ。」

ニタニタといやらしい笑いを浮かべて、医者は引き出しを開けて、奥からなにかを引っぱりだす。

「つまりあれだ。おまえも例の、『鴻島りり天使説』の信者なわけだ。」

取り出したものを掲げてみせる。Ａ４サイズに引き伸ばした写真。

白衣を着た医者と、誰か女の子のツーショット。すごくかわいい子……なんか、りりちゃんに似てる……ような気がする。下のほうに、なにか書いてある。黒いマジックで……

『高嵜《たかさき》総合病院
秋本悠司《あきもとゆうじ》先生へ
いつもお世話になってます♡
Riri』

「ちょ、ちょちょちょちょちょ、なんなんですかそれは!!」

すっ飛びあがって手を伸ばす。しかし秋本先生は、写真を素早く引き出しにしまうと、膝頭でがっちりガードして、開かないようにしてしまう。

「おお、すげぇ反応。つかおまえ、ちゃんと声出るんだなあ。」

「出ますよ声くらい！　なんで先生がりりちゃんの写真持ってんですか！　ちゃんと見して下さいよ！」

「やだね。これ俺のタカラモノだもん。さっきは特別サービス。」

「……合成でしょ？」

「そう思うならそれでいいよ。」

「どっかから、普段着の画像引っぱってきたんでしょ？」

「うんうん、そう思うならそれでいいってば。」

「だって……接点ないじゃないですか！」

「そうか？　俺、医者だよ。調子の悪くなった人間なら、誰とでも会う可能性がある。アイドルだろうと、政治家だろうと。」

「だって……」

ここは精神科の『ひきこもり相談室』だ。人付き合いが怖くて、大学に通えなくなり、部屋に閉じこもって昼夜逆転の生活をするようになった僕を心配して、お母さんがムリヤリ連れてきた。

りりちゃんみたいな、華やかな女の子が、来るところじゃない……。

それ以上、言葉が出ないでいるうちに、お母さんが受付から戻ってくる。

「保険証、確認してきました……。終わりました？」

「ああ、お母さん、ありがとうございました。今日の診察は終わりです。」

ニヤニヤ笑いをすっと引っ込め、また元通りの親切な医者の顔に戻って、秋本先生は言う。

「じゃあ、森田《もりた》君。今度は君が、外で待っててくれるかな。僕はお母さんに、君の状態について説明して差し上げるから。……横井《よこい》くーん。」

カーテンの陰から、Fカップくらいありそうな若い看護師さんが現れて、ハイ先生、とかわいい声で返事する。

「森田裕樹《ひろき》君を、待合室まで連れてってあげてくれるかな？　ひとりだと、彼、ちょっと不安だと思うから。」

「ハイッ。こちらへどぅぞぉ。」

かわいそーに、待合室までひとりでいけないくらい、精神不安定なんだー？　という笑顔で、看護師さんは僕をエスコートしてくれる。

あの医者、許せん。

薬局の受付で、白い紙の袋を受け取って、エレベーターに乗り込む。

中身は、胃腸薬と痛み止めと、軽い睡眠導入剤。それに、ヨクイニンとかいう漢方薬がどっさり。なにに効くんだか、説明はお母さんが聞いてるからいいやと思って、よく聞かなかったけど。

「どっかでなにか、食べてから帰ろうか？」

優しい、けれどどこか神経に障《さわ》る喋り方で、お母さんが尋ねてくる。

「おなか空いてない？　うち帰るほうがいい？　うち帰ると、ご飯あるから、たまどんしてあげようか。たまどん、たまごどんぶり。ねえヒロくん、どっちがいい？」

「……………。」

「食べて帰るほうがいい？　ここのロビーに、いろいろあったわ。大きい病院はなんでもあるわねえ。コンビニもあるし、広いお庭もついてるし。あ、スターバックスまで入ってる。案内のとこに、ホラ書いてあるわ。でも、スタバなんて、ちゃんとおなかに溜まるようなものはないかしらねえ。ねえ、ヒロくん？」

エレベーターはほぼ各階で停止して、なかなかロビーのある1階に辿り着かない。いろんな人が乗り降りする。いろんな人が、お母さんのくだらないお喋りを聞いて、頭の悪いおばさんだなあ、という顔をしている（気がする）。

「でもお母さん、スタバなんて入ったことないから、注文の仕方わかんないわぁ。あれ、普通の喫茶店と、なにか勝手が違うんでしょう？　ヒロくん、スタバ入ったことある？　スタバ。ねえ、スタバ。」

「うるせえよ、黙れ。」

『スタバ』って言いたいだけだろうそれ。これ以上話しかけられると、僕は恥ずかしさで爆発してしまいそうだ。

「……あらあ。お母さん、お昼どうしようかって聞いてるだけじゃない。なにもそんな」

「どうでもいいんだよそんなこと。黙ってろよ。」

「どうしたの？　なんで急に、そんな機嫌悪くなっちゃったの？」

「恥ずかしいんだよ。どうでもいいことぐちゃぐちゃぐちゃぐちゃ。」

「なにが。お母さんなにも、人に聞かれて恥ずかしいこと喋ってないのに。」

「てめえの存在そのものが恥ずかしいんだよ！　いいから黙れ！」

そこまで言っても、まだお母さんは、口の中だけでなにかぶつぶつ唱え続けている。

入院患者だろうか、パジャマ姿の、中学生くらいの女の子が、僕の顔を、横目でじっと見ている。慌ててうつむき、唇を嚙み締めていると、クスッ、と笑い声。

2階まで来て、エレベーターはまた停止する。そして女の子が、降り際に小さく呟く。

「マザコンきも。」

ぐわんぐわんぐわん、と頭が揺れる。なんでだよ！　なんで僕がバカにされなくちゃならないんだよ。悪いのは……悪いのは、お母さんじゃないか!!

だいたいなんだよ今の女。ブスのくせに。りりちゃんの100億分の1の価値もないドブス女のくせに、なぜこの僕に、あんなことを言う権利があると思うんだ！

普通の女なんか、キライだ。中学でも、高校でも、大学でも、女という女はみんなブスで、バカで、僕をないがしろにしてきた。

僕を理解してくれるのは、この世にりりちゃん、ただひとりだけだ……。

「1階、着いたよ。ヒロくん。」

お母さんが、僕の背中に手をまわして、押してくる。

「さ、降りましょ。もう、なに食べるか決めてちょうだい。お母さん、スタバ」

「死ね。」

お母さんを突き飛ばして、エレベーターから駆け出す。

別に、本気でお母さんを置いてけぼりにしようなんて、思ったわけではない。どうせタクシーで帰るのだから、先に乗り場に行っていよう、と思っただけだ。だいたい僕、財布も持ってないんだし。ひとりでは帰れないし。

お母さんだって、僕のそんな行動は、すっかりお見通しのはずだ。だから、たいして心配をかけるわけでもないはずだ、と。

なのに、道に迷った。

小さな山の麓《ふもと》に建つこの病院は、時代とともにその山の斜面を切り開いて、より高いところへ高いところへ、建て増しを重ねていったらしい。16階建ての最新病棟から、古い学校みたいな2階建てまで、たくさんの建物が、くねくねした渡り廊下で連結されて、どっかのダンジョンみたいな、ワケワカンネな構造になっている。

「どこだよぉーもう。お母さぁーん。」

いつの間にか、見渡す限り人影のない、古い中庭のような場所に出てしまい、僕は思わず、そんな声を漏らす。

「わかんねえよぉー、もう。ここ、どこだかわかんねえよぉー。」

「あ……もしかして、迷いました？」

女の声。

振り返るのが怖い。さっきのパジャマ女みたいな、イヤミなブスだったらどうしよう。でもなんだか、胸がゾクゾクするような、すごくかわいい声だ。

「ご案内しましょうか？　何科にいらしたんですか？」

おそるおそる、振り返る。

飾り気のない、クリーム色のワンピース。どこか、儚《はかな》げな微笑みを浮かべて立っている、
細い手足の女の子……。

「こ……」

鴻島りりちゃん……に、そっくり。

「肛門科ですか？」

「えっ？」

「違いますか？　他に、こ、のつく科ありましたっけ。」

「え、え、いや、ち、違いますあの」

「こー、こー、こー。」

女の子は両手を、鳥みたいにパタパタさせながら、目を宙に泳がせて、こー、と繰り返す。

ちょっと、ニワトリのマネっぽい。

「……睾丸。」

「へっ⁉」

「だけを診る科なんてないですよね。それは泌尿器科ですよね。こー、こ……。あ！　そう

言えばそろそろ、こなしの準備ができる頃なんだ！」

「こなし？」

「練り切りとの違い、なんて難しいこと、聞かないで下さいね！」

……なんだか、会話についていけない。

「興味あります？」

「な、なになですか？」

「よかったら、一緒に作りませんか？　一般の方、大歓迎なんです！」

「なにをですか？」

「上生菓子。」

「お菓子ですか？」

「アウトサイダーアートです！」

そう言って、その、りりちゃんそっくりの女の子は、僕の手を握りしめた。

ビリビリっ！　と電流が走る。僕の体に、お母さん以外の女の人の手が触れている……！

「行きましょっ！」

僕をひっぱって、女の子は走り出す。

慌ててついていく。すぐ目の前を、彼女の髪が泳ぐ。

夏の光が降り注ぐ中庭、美少女と手をつないで走る僕……なんて、めまいがする。非現実的すぎる。きもい、ださいと言われ続け、義務教育＋高等教育の十数年間にわたって、全ての女子にえんがちょされ続けたこの僕が。

なぜ突然こんな、ウフフ、アハハな状況に？？？

建物に挟まれた迷路のような隙間をどんどん走ると、急にぽっかりと視界が開け、広い道路に出る。

車が走っている。横断歩道の向こう側には、ありふれたコンビニ。

「あ、あの……病院の敷地から、出ちゃうんですか？」

いくら何でも、お母さんを置いてきたまま、自分だけで外へは出られない。そう思って尋ねてみたら、

「ううん。ここは病院の管轄なの。」

と言って、通りに面した、こぢんまりしたお店を指差す。ウインドウ越しに、団子やおはぎや、切り餅なんかが並んでいるのが見える。

「ぼ、僕……財布持ってない、んです、けど……。」

「大丈夫、大丈夫。」

そう言って女の子は、お店の脇にある、2階への階段を上りはじめる。

いったい、ここはなんなんだ？　手がかりを求めて、階段の上り口に取りつけられたプレ

ートを読む。通り過ぎながら、必死に目を凝らして。

手作り和菓子のお店　なごみの家

と、まるっこい書体で刻まれている、その下に、ふたまわりほど小さい字で、

医療法人高嵜病院

就労継続支援B型事業所

「吉川《よしかわ》さーん！　桜田《さくらだ》さーん！」

よく通る声で呼びかけながら、女の子は2階のドアを開ける。

「吉川さーん！　桜田さーん！　ねえ！　この人も、一緒にやっていい？　今そこで、お友達になったのー！」

「ははは、りりちゃん、逆ナンパしてきたのかい？」

「どうぞどうぞ。体験者、大募集中ですからね。」

白い割烹着《かっぽうぎ》を着た、まるでプロレスラーみたいにガタイのいいおじさんと、それとは対照的な、ひょろりとしたメガネのおじさんが、ふたり揃ってにっこりと、僕を見下ろす。

部屋の中は、ふわっと甘い、いい匂いでいっぱい。どうやら、下で売っている和菓子を作る工房らしい。真ん中に、銀色に光るステンレスの作業台があり、まわりに10人ほどの、年齢も、性別もばらばらな人たちが、エプロンをつけて集まっている。

……なんてことはどうでもよくて。

あまりの展開の早さに、うっかり聞き流しそうになったけど、割烹着のおじさん。い、今、彼女の名前を、なんとおっしゃりましたかっ⁉

「あ、あの今、名前、りり……」

「あっ。」

確認しようとしたら、彼女は僕の手を放して、部屋の反対側にすっとんでいく。

「きゃー、西《にし》さん！　参加できるんですかー？　お久しぶりですー‼」

彼女が駆け寄っていったのは、時代劇の俳優みたいな顔立ちの、背の高いおじいさん。細身のシャツをピシッと着こなしているのに、なぜか頭にホッケーの選手のようなヘッドギアをすっぽり被っていて、台無し感がハンパない。

「どうですか、じゅうたん小僧の様子は？」

と、尋ねながら、彼女はおじいさんと腕を組む。どうやら、誰とでも気軽に接触する人らしい。

「うん。まあ、まだいるけどね後ろに。ツンツンと、引っぱってはくるけどね。」

「あ、いるんですかー。」

「いるね。でももう、転ぶほどは引っぱらないね。薬、増やしたしね。」

じゅうたん小僧？

……妖怪の見える人？

と、あり得ないことを考えていたら、

「あんた、サトウコウキ?」

「うわっ。」

急に後ろから、耳元で話しかけられて、飛び上がる。まるでビヤ樽みたいなおなかをした
おばさんが、僕の顔を、じとーっと睨《にら》みつけている。

「あんた、サトウコウキ?」

「え……?」

「違う? サトウコウキじゃないの?」

「い、いえ、僕、森田……」

「そう。もしサトウコウキだったら返してもらおうと思ったんだけど。」

……なにを。

「違うならいいわ。でも、念のため聞くけど、本当に、サトウコウキじゃないね!?」

「ち、違います、森田です、森田裕樹!」

「ならいいわ。」

ゆっさゆっさ。おしりを左右に振りながら、ゆっくりと僕から遠ざかっていく。

「おにいさん、和菓子は好きかい?」

割烹着のおじさんが、僕に尋ねてくる。

「……。」

声が出ない。大人の男の人とは、どんなふうに話したらいいのかわからない。

学校の先生たちは、ほっといてくれた。なにか質問されても、こっちがずっと黙ってうつむいていれば、最後には適当に、都合のいいように決めてくれた。お父さんは、もともと僕には、あまり構わない。

だけど、よその、働いている大人の人には、もっときちんとものを言わないといけないらしくて。でもそれは、気が遠くなるほど、難しくて……。

「ああ、いいです、いいです。無理に喋らなくていい。」

口をぱくぱくしていた僕の肩に、ひょろりとしたメガネのおじさんが、ぽん、と手を載せてくる。

「僕は、ここの世話をしている、桜田といいます。こちらは、和菓子製作の指導をして下さっている、吉川さん。」

まるで幼い子どもに言い聞かせるような、ゆっくりした喋り方。

「なごみの家に、ようこそ。ここでは、君がしたくないと思うことは、なにもしなくていいのです。ゆっくり、楽しんでいって下さい。」

「……は」

また、1文字しか出ない。

「よし、じゃあまず、手ぇ洗え。」

割烹着の吉川さんが、そう言って流し台を指差す。

「こなしに直接触れるから、しっかり消毒しろよ。ほらほら、りりちゃんも早く、手ぇ洗って。」

「はぁーい。」

「り……」

間違いない。

この子、鴻島りりちゃんだ。

薄茶色だった巻き髪は、ただの長い黒髪になっているし、着ている服も地味だけど……でも、こんな小さな顔に、こんな大きな目を搭載した女の子が、他にいるわけがない。

「ね。吉川さんって、カッコイイでしょう?」

ぼんやりと顔を見つめていた僕に、こそっと、内緒話みたいに話しかけてくる。

「あ……は、はあ。」

「『よし福』って知ってる? 箕島《みのしま》駅の東口に、茅葺《かやぶ》きのすっごいシブいお店あるでしょう? 超おいしくて有名な!」

「あ……はい。」

本当は知らない。箕島駅がどこにあるのかも知らない。

でも、嘘をついてるつもりはなくて……単に、「知りません」って言うとがっかりさせちゃうんじゃないかとか、そんなふうに気を回してしまうのだ。「はい」って言うほうが、会話がスムーズに流れるから、相手に負担をかけずに済む、とか。

「あそこの店主さんなの。ここの指導をしてくれてるの。無償で！」

すごいでしょう？　という表情で、りりちゃんは言う。

すごいなあ、という表情を、僕は作る。

「あのこなしも、本当に、お店に出すのと同じように作ってくれてるの。だから、味は一流！　一応、最後のひとつはお手本通り、季節のものを作る約束になってるけど、それまでは自由に、どんな形のものを作ってもいいの。だから……」

「ほらほら、始まるよ！　早く洗っちゃって！」

桜田さんに叱られて、僕らは急いで手を洗い、作業台につく。

台の上には、大きなボウルが4つ、並んでいる。

中にはそれぞれ、白、ピンク、黄色、緑のカラー粘土のようなものが入っていて、空気に触れないように、ラップでぴったりと押さえてある。

竹でできたへらや、ふきんや、こし器のような道具が、ふたりに一組ずつ配られる。それから、湿らせたハンドタオルが、ひとり1枚。

「これで、しょっちゅう手を拭きながら作業するの。乾いた手で扱うと、すぐにくっついちゃうから。」

言いながらりりちゃんは、自分のタオルで、丹念に手を拭う。それからボウルにへらをつっこんで、まずはピンク色の粘土を、ピンポン球くらいの大きさで取り出す。

「これが『こなし』。白あんに、つなぎの薄力粉《はくりきこ》と、お砂糖を練り込んで蒸したもの。色は天然の着色料を使ってるの。」

「あ。食べ物なんですか……」

「粘土だと思ってたでしょ！」

きゃはっ、と甲高い声で笑う。

「でも、それでいいの。食べられる、超おいしい粘土だと思って、好きなもの作ってみて。あ、ほら、西さんの見て。」

さっきのヘッドギアのおじいさんの手元を指差す。

ピンクの帽子をかぶった、雪だるまの頭だけ、みたいなものが、すでに3つもでき上がっている。

「わー、じゅうたん小僧、顔もかわいくなってきてるー。」

「あの……な、なんなんでしょう、じゅうたん小僧って。」

「西さんにしか見えない子どもでね。西さんの足元に、いつの間にか、真っ赤なじゅうたんを敷いちゃうの。で、そのじゅうたんを引っぱるの。後ろから、思いっきり。」

「……危ないですね。」

「でしょう？　もう西さん、若い頃から、何百回も転ばされてるんだって。だからヘッドギアが手放せないんだって。……きゃー、美加《みか》さんの、カッコイー！」

僕たちの向かい側に座っている、坊主に近いほどのショートカットの女性が、りりちゃんを見返して、にっこり笑う。

「ありがとー。りり坊に褒められると、テンション上がるわ。これね、去年ぐらいに聞こえてた声の主。多分こんなんじゃないかなーって、想像して作ってみたの。」

女性にしては低くてシブい声で言いながら、美加さんという女性は、自分の作品を僕たちの方に向けてくれる。

真っ白な、崩れたオバQみたいな固まりに、黄色いギョロ目がひとつ、縦に張りつけられている。……こわい。なんか、えぐい。

「去年の声って、どんなこと言ってたんですか？」

そう、りりちゃんが尋ねると、美加さんは目を閉じて、じっと考え込む。

その様子を見て、作業台のまわりを歩き回っていた桜田さんが、すーっと寄ってくる。そう言えばこの人だけが、エプロンをつけていない。なにも作らず、みんなの後ろを歩き回っている。

「そんなに……意地の悪いことは言わなかったのよ。昔みたいに、死ねとか、自殺しろとかは、全然言わなかった。でも、『かわいそうに、美加はそんなこともできないんだね』とか、『そんな下劣なことを考えるくらい、心が汚れているんだね』とか、哀れむふりして、バカにしてくるような感じ……」

そう言って、暗い目をしてうつむいてしまった美加さんの背中に、桜田さんがポンと手を載せる。

「そうかぁ、哀れむふりしてバカにするなんて、イヤな声だったたんだね。」

「そうなの。それで今、あいつはどんなやつだったんだろうって考えながら、こなしを触ってたら、ふっと、こんな真っ白なやつが浮かんだの。なんでこいつ、あたしにあんなこと言ったんだろうな……。」

そう言って、美加さんはこなしを手のひらに載せて、また考え込む。

「……なんだか、こいつ自身が、哀れな様子してるわね。」

そう美加さんが呟いて、ふっと微笑む。

「そうだね、こいつ自身が、哀れなようにも見えるね。」

桜田さんが、美加さんの言ったことを、そのまま繰り返す。

「ねーねー、あたしもできたよ。見て見て。」

りりちゃんが、僕の鼻先に、ぬっと作品を突き出してくる。

こなしでできた、白い花……幼稚園の子どもが描くチューリップみたいな、ごくシンプルな花の上に、ピンクのこけしみたいな子どもが座っている。

「どう？　かわいい？」

「あ……は、はい、かわいいです。」

「きゃっ。」

褒めると、にっこり笑ってVサインなんかして見せる。昔、テレビに出ていた頃と同じ笑顔。

「で、でも……色、逆じゃないですかね？」

「え？」

「い、いや、その配色だと、普通花をピンクにして、人を白にしないかなぁって。な、なんかすごく、濃いピンクだから、人間の肌としては、その……」

喋ってる途中で、心臓が破れそうに、バクバク言いだす。

……なにやってるんだ、僕。余計なこと喋るなよ。喋ったって、どうせ人を不快にさせるようなことしか言えないんだから、おとなしく口をつぐんでろよ！

脂汗をだらだら流して、話をまとめることもできずに固まっていると、りりちゃんはこなしの花を手のひらに載せたまま、そうっと顔を、僕の方に寄せてくる。

唇が、僕の耳に触れそうなほど、近く、近く……

「これね……あたしなの。」

「え？」

ひそひそ声と一緒に、りりちゃんの息が、僕の耳にかかる。脳髄が、びりびり痺《しび》れる。

「あたし、お母さんを刺しちゃったの。」

なにを言っているのかわからない。

りりちゃんのお母さん？　確か、ものすごいステージママであるらしいと、ネットで読んだことがある。もともと恥ずかしがりやで、本ばかり読んでいたりりちゃんの写真を、モデルのオーディションに送ったのも、お母さんの独断だったとか。

「だから、こんな色になっちゃったの……。あたしが、悪い子になったから。でも、誤解しないでね。ここにいる人たち、みんながそんなことをしたわけじゃない。あたしみたいな事件を起こしちゃう人のほうが、かえって珍しいのよ。ここのみんなは、ごく普通の、優しい人たちばっかり。単に……トーシツになっちゃっただけ。」

糖質？

甘いものが、すごく好きってこと？　だから和菓子を作っているの？

結局、僕はなにひとつ、自分の作品を作らなかった。

自由に、思いつくままに……と、桜田さんは励ましてくれた。でも、頭の中に、なにひとつ、作りたい形は浮かばなかった。僕がなにを作っても、ここの人たちにとっては、おもしろくもなんともないだろうという気がして、手が動かなかった。

だから、自由時間が終わって、吉川さんによる『季節の上生菓子講座』が始まった時には、心底ほっとした。

「えー、では、今月は初夏にぴったりの意匠ということで、『薔薇《ばら》』を作りたいと思います。」

1対1で話した時には、ちょっと昔のガンコ親父的な口調だった吉川さんが、急に改まった様子で、丁寧に解説を始める。

「まず、ピンクのこなしを、これくらい手に取って、平べったく伸ばして下さい。そこに、半量ほどの白のこなしを、同じ薄さに伸ばしたものを張りつけます。指で押さえて、色の境目をぼかします。」

今までぺちゃくちゃと、よくわからないお喋りをしながら、ヘンな形のものばかり作っていた人たちも、急に静かになって、吉川さんのお手本通りにやろうとしている。

「ひっくり返して、ピンクの面に、さっき配ったこしあんの塊を載せて、このように包んで下さい。こしあんの黒色が見えないよう、ぴっちり閉じたら、手の中で柔らかく転がして、丸くします。」

「わ……なんか、すごく上手なんじゃない？」

僕の手元を覗きこんだりりちゃんが、驚いたように目を丸くして言う。

「そ……そうですか？」

かあっと顔が熱くなる。実を言えば、昔から手先は器用だった。

プラモを作れば、あらゆるパーツに完璧なエッジを出さずにいられなかったし、工作や技術は、常に得意科目だった。小学校の家庭科で、刺繍《ししゅう》入りのクッションカバーを作った時には、クラスじゅうの女子が、僕の手元を覗きにきた（僕の人生において、女子に注目された経験と言ったら、あれ一度きりだ）。

だから将来は、ものを作る仕事をしたい、と、漠然と思っていた。

中3になって、どの高校を受験するかで、お母さんと大ゲンカをするまでは。

「きれいな球ができたら、左手で、こんなふうに持って下さい。ぼかした白のこなしが、上にくるように。で、右手にこの、縁のカーブしたへらを持って、こう……」

そう言って吉川さんは、へらをこなしの球に押し当てて、くりっ、と手首を返すようにして、曲線の切り込みを入れる。

真ん中に、短い曲線を、くりっ。球を30度ほど回転させて、少し外側に、くりっ。ゆるやかに回転させながら、どんどん外側へ。曲線を、少しずつ長くしていく。

「……で、出来上がりです。」

作業台の上に、そーっと置く。今にも咲き出しそうな、薔薇のつぼみ。

「これに、露を載せてやってもいいですね。」

と言って、ごく小さく丸めた白いこなしを、ぽろりとこぼす。僕の隣でりりちゃんが、向かい側で美加さんが、ほーっと感嘆のため息をもらす。

「ははは、ダメだ俺の。薔薇じゃなくて、牡丹《ぼたん》だ。」

西さんが、でき上がったものを、台に置く。ピンクの地が厚すぎ、花びらが大振りすぎるそれは、確かに花札に描かれた、ぼてっとした牡丹にそっくりだ。

「あたしのなんか、枯れちゃったわよぉ。」

ビヤ樽腹のおばさんも、自分のを出してくる。こなしが薄すぎたか、切り込みが深すぎたかしたのだろう。中に入れた黒いこしあんがはみ出して、あちこち黒くなってしまっている。

「ねえ、彼の、結構いいわよ。」

と言って、美加さんが僕の手の中のものを指差す。できたものの、恥ずかしくて、とても見せる気がおきないでいた。

「出してよ、ねえ！　ずっと手に持ってたら、乾いて台無しになっちゃう。」

りりちゃんが、僕の手から薔薇を奪い、あろうことか、吉川さんのお手本のすぐ隣に並べる。

「おおー、これは……。」

「なかなか、どうして。」

みんなが、感心しているみたいな声を出している……嘘とか、騙してるとか、ドッキリとか、そういうものでは、ない……らしい。

喜びがわき起こる。胸の奥で、小さな僕が「ひゃっほおおう」と飛び跳ねているのを感じる。

でも、頭の奥のほうには、それをいさめる僕がいる。ヒロくんよ、こんなことで褒められて、うれしがっていいのは、幼稚園までだぞ。たかが細工物の和菓子ひとつ、きれいに作れたところで、生きる役には立たない。この程度のことでは、おまえが学校社会の落ちこぼれだという事実は、まったく変わらないのだぞ……。

「森田くん、でしたっけ。」

ぽん、と背中を叩かれる。いつの間にか桜田さんが、僕の後ろに立っている。

「君、才能ありますねえ。もう明日から、ここで作業してもいいんじゃないですか？」

「え、あ……。」

返答に詰まっていると、まわりのみんなが、どっと笑い出す。

「あっははは、桜田さん、無茶言っちゃいけないよぅ。」

「そうだよ。見たとこ、彼は健康そうじゃないか。」

「ちょっと引っ込み思案だけどな、まあ、普通の少年だわな。」

「ここに入るために、統合失調症になってみちゃどうだ。」

「そう都合良く、幻聴さんとお近づきになれるもんかよ！」

「ははは……ははははは……」

釣られて、僕も弱々しく笑う。雰囲気を壊すのは失礼だから、一生懸命に。でも……今、なにか、聞き慣れない、重い単語が出なかったか？

……統合失調症？

「こんにちはー、みなさん。今日の作品を見せてもらいに来ましたよー。」

ドアが開いて、誰かが入ってくる。僕の隣でりりちゃんが、ぴょーんと飛び上がる勢いで席を立つ。

「先生！　うれしい、うれしい、来てくれたのね!?」

駆け寄って抱きつく。あまりの勢いに、ドアから入って来た人は後ろによろけ、壁に背中をぶつけて停止する。

「あぶなっ！　……りりちゃん、そういうのやめようって、前にも言ったよね、僕？」

「うれしい、うれしい、先生が来てくれたー！」

僕や、西さんに接触していた時より、数段高いテンション。なんなんだ、誰なんだ、と妬《ねた》み100％で顔を睨みつけたら、そいつの方でも、僕の顔を見て、顔をしかめる。

「君、なぜここにいる？」

鼻筋の通った、片耳ピアスの、白衣の男。

「あ……」

あんたこそ、なにいきなり、りりちゃんと密着してやがるんだ⁉

と、怒鳴りたかったが、やはり1文字しか出ない。

「なぁんだ。彼、秋本先生の患者さんでしたか。」

しゃくしゃくと、規則正しいリズムで茶筅《ちゃせん》を振りながら、桜田さんが言う。お抹茶の香りが、こなしの甘いにおいと混じりあって、工房の中に立ちこめる。

「それで、りりちゃんのアンテナに引っかかったのかな。りりちゃん、カンがいいからね。」

「えへへっ。」

と、照れた顔で笑うりりちゃんは、秋本先生の隣に陣取って、腕にしがみつきっぱなしだ。

「で、あんた、なんの病気だい？　お仲間かい？」

と、西さんが、自作の『じゅうたん小僧』の上生菓子を食べながら尋ねてくる。

「あ……い、いえ、ぼ……」

「なんの病気でもないですよ。単に自立しそこねて、ひきこもってるだけです。」

言いながら秋本先生は、りりちゃんの腕から自分の腕を、そっけなく引っこ抜く。そして、桜田さんの点《た》てたお抹茶を、一息に飲み干す。

「あんっ。逃げられたー。」

と、冗談みたいに明るく、軽く言いながら、りりちゃんの目に、真剣に傷ついたような色合いが浮かんだのを、僕は確かに見た。

「自立ねぇ。ま、今の若い子は、いろいろとたいへんなんだろ。」

「就職も、なかなかないですしね。年寄りばっかり居座ってて。」

「年金出ないっていうじゃない、彼くらいの世代。」

「そんなの、俺の世代だってもう怪しいですよ。」

「障害者自立支援法で、ここの利用料も高くなっちゃったし。弱いものからばっかりむしり取っていくよねえ、今の政府……。」

吉川さんを中心に、男の人たちが、政治談議を始める。その様子を見ると、なんだか街で見かける、普通のおじさんたちと変わらない。

「さてと。僕、今日はあまり時間がないので、これで失礼します。」

また、腕を取ろうとしていたりりちゃんから逃げるように、秋本先生が素早く立ち上がる。

「君も、一緒に出よう、森田くん。ここはもうすぐ、作業の時間だ。」

「あっ。じゃあ、あたしも一緒に……。」

「りりちゃんも、作業があるでしょ？」

立ち上がったりりちゃんを、先生は笑顔で制止する。

「きちんとスケジュールにそった生活をすること。これ、大事だって言ったね？」

「……はい。」

「あまり病院の中を、ふらふら探検しちゃダメだよ。いいね？」

「…………。」

「じゃあね。……桜田先生、今日の集団精神療法のレポートは、週末までにお願いできますでしょうか。」

「まとめておきます。上生菓子、いくつかお持ちになりますか？」

「ああ、頂きます。」

「森田くんも、お土産《みやげ》にどう？」

「あ……ぼ……」

返答できずにいるうちに、桜田さんは紙箱をふたつ取り出し、そこにみんなの作った上生菓子を詰め込む。

吉川さんが作った薔薇や、西さんの『じゅうたん小僧』、それに、美加さんの『声の主』。

「あたしのも、入れて！」

と言ってりりちゃんが、片方の箱に自作の薔薇を、もう片方に、あのピンクの子どもが座った白いこなしの花を、そっと滑り込ませる。そして、僕には薔薇の箱を、秋本先生には、白い花が入った箱を差し出す。

「これが、りりちゃんだね？」

と言って、秋本先生が、ピンクの子どもを指差す。

りりちゃんは、なんだか泣き出しそうな顔で、こくんと頷《うなず》く。

見送られて、なごみの家を後にする。

病院の敷地内に戻り、再び迷路のような建物の隙間を歩きながら、秋本先生は、

「会計ロビーの椅子に、君のお母さんが座りこんでる。」

と、冷たい口調で言う。

「受付の職員に、全館に迷子放送をしろと詰め寄って、ちょっとした騒ぎだったらしい。まったく、病院はデパートじゃねーっつの。」

「……すみません。」

「何を、どれだけ聞いた。」

急に話が変わって、ぽかんと見返す。

「なごみの家のことだ。りりちゃんから、どこまで聞かされた。」

「あ……」

いろんなことが、一気に頭を駆け巡る。

「あ、あの……トーシツ……とか。あと、お母さんを刺した、とか……」

「あ――も――……」

困りきった様子で、ため息をつく。どうやら、聞いちゃいけないことを聞いたらしい。

「で、でも、僕、誰にも言わない、です……」

「そう願いたいね。せっかく落ち着いてきたんだ、ここでまた環境が変わるのは、すこぶるよろしくない。」

「治るんですか？」

尋ねると、秋本先生は、無言で僕を睨む。

普段の僕なら、こんな顔をされたら、もうそれ以上はやらない。黙って、むにゃむにゃ言って、終わりにするだろう。

でも、どうしても聞きたかった。

「本当に、本物の鴻島りりちゃんなんですよね？　トーシツって、統合失調症っていう、精神病のことですよね？　そのせいで、お母さんを刺したりしたんですか？　これから、あの人、どうなっちゃうんですか？」

答えてくれるまで、一歩も引かないぞ。

そう決意して、じっと睨み返す。

「……統合失調症で、のべつまくなしに人を刺すなんてことはない。それは今、あそこの人たちに会ってきたんだから、もうわかるだろう。」

あきらめた顔になって、秋本先生は答えてくれる。

「あの子の母親……おまえの母親と、似たようなタイプだよ。」

「え？」

突然、自分のことを言われて、混乱する。

「子どもの、母親に対する絶対的な信頼感を利用して、うまくできれば褒めそやし、失敗すれば嘆いてみせることで、子どもの価値感をコントロールする。それは、子どもを社会的に躾《しつ》けるために、母親たちに与えられた、正当な権利だ。だが、中にはその権利を濫用《らんよう》して、自分の個人的な欲望を達成しようとする母親が、かなりの割合で存在する。」

聞いて、今までの人生で、お母さんから褒められたシーンや、泣かれたシーンが、次々に思い出されてくる。

テストで100点を取った時……褒められた。母の日にカーネーションを贈った時……すごく喜んでくれた。おなかが痛くて、学校を休みたいと言った時……泣かれた。滑り止めでもいいから、美大を受験したいと言った時……猛烈に泣かれた。

「離れたい、と思ったことはないか？　背中にぺったり張りついている母親を、振り落としてどこかへ逃げ出したい、と思ったことは？」

「……さっき、エレベーターで、突き飛ばしました……。」

死ね、と僕は言った。本当に殺そうとしたわけではないにしても。

「そういう緊張の高まった瞬間に、たまたま病気が重なる……それだけのことだ。通常より、認知能力は落ちているから、やりすぎになることはあるかもしれん。だが、因果関係は、病気とは別のところにある。

そう言って先生は、大きな、新しい建物の『職員用』と書かれたドアを開ける。

「ここをまっすぐ行けば、ロビーに出る。母親回収して、帰れ。」

「……あ。あ、あの……あの……」

ドアをくぐりかけたところで振り返り、必死の思いで口を開く。

「なんだよ。言いたいことがあるならさっさと言え。俺は忙しいんだよ。」

「あ、あの……り、りりちゃん……って、先生のこと、好きなんじゃないですか？」

先生は、ドアを手で押さえたまま、急にいらついた声で怒鳴りだす。

「だからどうだって言うんだ？　精神科の患者が、異性の治療者に恋愛感情を抱くのは、別に珍しいことじゃない。ちゃんと『陽性転移』なんて用語まで存在するくらいだ。そんなもんで、いちいち動かされてたら、こっちはやっていけないんだよ！」

「動かされて……ないんですか？」

聞くと、忌々《いまいま》し気に顔をしかめて、黙りこむ。

たいして持ち合わせていない勇気をかき集めて、僕はさらに攻める。

「じゃあ、お菓子、替えて下さい。」

「ん？」

「そっちは、りりちゃんのオリジナルですよね？　こっちは課題の薔薇です。僕、そっちを食べたいから、交換してください！」

　箱を突き出して、睨みつける。

　秋本先生は、しばらくは仏頂面《ぶっちょうづら》で、箱と僕の顔とを交互に眺めていたが、やがて、にやりと笑って、身を翻《ひるがえ》す。

「やだね。これ俺がもらったんだもん。おまえは普通のやつ食ってろ。」

「……やっぱ、あんたも好きなんじゃないですか！」

「お互い様だろ。」

　もう背中を向けて、すたすたと歩き出しながら、先生は言う。

「ま、母親なしで、家から出ることすらできないおまえには、1ミリも可能性ないけどな。おだいじにー。」

　こっちを見もしないで、ひらひらと手だけ振ってよこす。

……言い返したい。僕が、ここから脱出したいと思いはじめていることとか、自分の力で、ちゃんと生きていけるようになりたいと思いはじめていることとか。

　そうしてまた、りりちゃんの前に立ちたい、と願っていることとか。言って、堂々と、宣戦布告したい。

　だけど、今それをやったら、まるで、お礼を言ってるみたいになってしまう。

　だから、黙ったまま、ドアをぐぐり抜ける。

和菓子

時《とき》じくの実《み》の宮古《みやこ》へ

小川一水

小川一水《おがわ・いっすい》

1975年、岐阜県生まれ。

1993年、「リトルスター」でジャンプ小説・ノンフィクション大賞佳作。

1996年、『まずは一報ポプラパレスより』でジャンプ小説・ノンフィクション大賞を受賞。

2004年の『第六大陸』をはじめ、短編「漂った男」「アリスマ王の愛した魔物」で星雲賞を計3回受賞している。

作品に『復活の地』『天冥の標』『天涯の砦』『煙突の上にハイヒール』『トネイロ会の非殺人事件』など。

南へ下れば宮古《みやこ》に着く。そう信じて歩いていったら、陸がなくなって道が終わった。岬の高い岩場には白く強い日が差して、セミの音が響いていた。この国のどこへ行っても生えている緑の砂糖きびが旺盛に茂っており、背丈の足りない工次《こうじ》には先が見えなかった。大背嚢《だいはいのう》を降ろした父親に肩車をしてもらうと、青くかすんだ海原《うなばら》を背にして立つ、半分崩れた真っ白な灯台がようやく見えた。

「海だなあ、父さん」

「宮古は？　父さん」

「宮古はないなあ」

「どこへ行ったの？」

「俺が知るかよう」

無責任にも言い放つと、旅の間にときおり見せた、空の雲を吹っ飛ばすほどのやけっぱちな大笑いを、父親は響かせたのだった。

汗を拭《ふ》き拭きそこいらを調べると、白いきれいな石の廃墟の一画から石碑が見つかった。

表面を拭《ぬぐ》うと石廊崎灯台《いろうざきとうだい》と彫ってあった。漢字の読める父親が、大背嚢から自慢の古い字引を取り出してページを繰り、ここはいろうざきだとわけ知り顔でうなずいた。

「静岡県伊豆半島南端の岬。先端に明治四年設置の灯台がある」

「めいじ四年って何年前？」

「三百年ぐらい前じゃないかなあ」

「伊豆半島に宮古はあるの？」

「どうなんだかなあ」

父親は大体いつもこんな調子で適当極まりないのだが、工次はもうそろそろ宮古に着くだろうと思っていたので、がっかりしたのだった。

その日は道路跡そばの崩れた土産物屋《みやげもの》で夜明かしして、次の日もそこに留まった。捏曜日《ねつようび》だったからだ。あんな一週間のあとだから工次の作るものは決まっており、バーナーで熱した有平糖《あるへいとう》を、指先にやけどをしながらひねくり回して、槍の穂先のような形と大きさの白い飴《あめ》菓子をこしらえた。

父親の出し物は、十二歳の工次のそれとはだいぶ違った。緑色に曇った饅頭《まんじゅう》だ。ちらちらと盗み見た程度では何を表しているのかわからない。ただ、いやに大きくて彼の拳と同じほどある。

それを横目で見ながら工次は什器箱《じゅうき》を開けて、六枚の皿の中からひとつを選んだ。最近は毎週、「まどか水盤《すいばん》」だ。南下するにつれて温《ぬる》み続けるじっとりした大気の中では、その涼しげな青ガラスの丸皿以外、何も選ぶ気が起きない。ましてや、海に当たったのだから。

だが父は何やらたくらんでいる様子で、隠しながら皿を選んだ。なんだろうとは思っていたが、まさかああ来るとは思っていなかった。

「できた？」

「できたぞ」

「じゃあ、行くよ——一座《いちざ》！」

「建立《こんりゅう》！」

掛け声を合わせてそれぞれの出し物を差し出す。

そして工次は、あっと声を上げてしまったのだった。

「父さん、なんだよそれ……」

父が選んだ皿は、なんと「東天紅《とうてんこう》」。朱で塗った赤い木製の角盆だった。工次は今まで正月か誕生日ぐらいにしか見たことがない。

その上に、ぼんやりとした緑色のでかい饅頭がずしんと載っているのだ。相当に意味不明な組み合わせで、工次は目を白黒させてしまった。

「銘は〝肩下がり〟だ。まあ食ってみろ」

無精ひげの顔をしかつめらしく引き締めて父が言う。式次第から言えば工次の出し物の銘を名乗るべきところだが、そんな気分は吹っ飛んだ。知りたい。この奇天烈《きてれつ》な代物がなぜ今ここで出るのか、猛烈に知りたい。

菓子作りとは謎かけだ。工次にとっては目下のところ、問いかけであり回答であるのが菓子作りだ。それ以上のものでもあると父は言い、工次はその意味をつかみたいと思っている。

好奇心に負けて〝肩下がり〟の皿を取った。饅頭に目を凝らす。

緑色でぽつぽつと草の粉の混じる肌合いが示すものは、じきにわかった。この石廊崎の高台を覆う砂糖きびの原だ。しかし色味が妙に深くて、羽二重餅《はぶたえもち》やこなしを使ったありきたりの生地ではないように見える。

葛《くず》か。普通は透明な葛餅に草の粉を煉《ね》りこんで不透明にしているんだ。

よくよく目を凝らすと、その葛餅を通してかすかに内側の中餡《なかあん》が見えた。

五色《ごしき》の競演──壮麗かつ精緻な塔楼が、数知れずそびえ重なっている。

──宮古だ！

工次はそう直感した。はるばる北の地から求めてきたものが、この中にある。その晴れがましさを表しているのが、目の覚めるような赤い皿なのだ。

たまらずにかぶりついた。冷たく軽やかな葛を食いかじって進み、埋もれた漉《こ》し餡に歯を立てる。しっとりとした手加減のない甘さに受け止められる。

しかしその甘さはまるで尾を引かず、味わう端《はな》から雪のようにはかなく消えていった。

「あ、あれ？」

八割がた平らげたところで気がついたのは、口にも胸にも何も残らないということ。大量の餡を食ったために胃袋だけが重くなる。

そして食えば出てくるはずの宮古の姿も、とうとう現れなかった。それが中餡の表にうっすらと描かれたただの絵だったということに、工次はようやく気がついた。

「なあんだ……」

食ったらなくなる幻の宮古。そうだと知ってがっくりと肩を落とした。

そこでハッと気づいた。

隣を見れば父が笑っている。

「な？」

息子は降参の仕草をしてため息をつく。

父は工次の〝岬じるし〟を指でつまんで、口の中にころころと転がした。

†

かつて日本が縮む前、南の地に菓子の町があった。史実である。

わからないのは、それがどこだったかということだ。

日本の菓子、和菓子を産するその街は、宮古と呼ばれていた。そして宮古ではたくさんの砂糖きびを栽培していた。砂糖の町だから和菓子が栄えた。とてもわかりやすい脈絡なのだが、今の世の史学はどうもそこをはっきりさせてくれない。宮古が山間《やまあい》の盆地だったのか、それとも隔絶した孤島だったのか、そんなことも曖昧である。

多くの資料が残っているが、虫食いでない資料は稀にしかない。名士や学士が代々伝える山のような書物と記録媒体を、黴《かび》と錆《さび》が倦《う》まずたゆまずかじり続けている。

悪いのはすべて温暖化である。南からやってきた熱気と動植物が、人の生計の立たなくなった日本の地方を侵食していき、水田と杉林として開拓されていた土地を、砂糖きびと葛とキャッサバの原野に塗り替えた。初めのころそれをエンジンカッターで刈っていた若い男女も、とうに外国へ出て行った。

そんなわけで今の日本は、体半分、北へ移った。かつての南半分は大部分が無人である。よほど交通の便のいい東海道―山陽道ラインには、環境を遮断して生き延びたゲーテッドシティがまだちらほらと残っているが、それ以外の土地にはもはや町はない。そして現在、宮古とは連絡がつかない。きっとそこは、人が住めなくなるほど温湿度が悪化した地方の、ひとつだったのだろう。

しかし工次の父は、そんなはずがないと考えた。

和菓子の宮古は、千二百年の王城の地だったと言われる。千二百年も栄えた町が、たかだか数十年の温暖化で滅びるわけがない。きっと今でも生きている。ただ連絡がつかないだけだ、と。

工次の父は北の町に住む菓子職人である。それも和菓子の職人だ。仕事に対して、誠実だった。

和菓子の「和」とは、なんだろう？

適当にやっていた先代から店を継いだとき、彼の前にその疑問が立ちはだかった。「和」とは日本のことであるらしい。日本。熱帯植物にゆっくりと押し上げられてだんだん狭くなる土地で、日焼けした肌の人々が静かな諦念とともに生きている国、日本。それを表す菓子とは何か？

「わからん」

十五年間、そのことで悩んだ。和菓子によって表すべしとされるものと、おのれの表したいものと、表されるべき現実の日本が、どうしても一致しなかった。

本場には和の心があるのかな？

十五年悩んで、とうとう煮詰まった。店に出す菓子をろくに作れなくなった。あきれた工次の母は家を出て行き、父と工次が残された。

ある朝、店の扉を開けながら父が言った。

「なあ工次、お菓子の宮古へ行ってみないか？」

工次にすれば話は簡単だった。元からあまり家にいなかった母よりも、いつも手元を見せてくれていた父のほうが、ずっと好きだったのだ。

「じゃあ、行くか」

「うん、いいよ」

父は開けようとしていた店を閉めた。そしてその日のうちに二つの背嚢を用意した。

†

大背嚢と小背嚢、二つのザックが廃道の茂みを揺れていく。

工次と父は向きを変えた。南下しすぎてしまったのだ。伊豆平島から出なければならない。北を目指して歩き始めた。

週の初め、父は機嫌が悪かった。作ったばかりの〝肩下がり〟が、やっぱり気に入らなかったからだ。宮古に出会えなかった落胆を菓子に閉じこめたあの出し物を、工次は見事だと思ったが、父は大いに不満らしく、遊び心が足りなかった、いや、遊んでもがっかりするようじゃ意味がない、と歩きながらぶつぶつ言っていた。

しかしそれも一日だけだった。火曜日にはもういつもの陽気な父に戻った。歌を歌ってやぶこぎし、砂糖きびや梶《かじ》いちごをもぎ、金剛杖《こんごうじょう》で水面を叩きながら小川を渡った。

実際、小川の水を叩くのは、はしゃいでいなくても必要なことだった。小田原で出会った隠棲《いんせい》の陶工が、ここよりも南の川にはカンジェロが、人食いナマズが来ていると言っていたからだ。

もっとも、うそか本当かはまったくわからないし、二人とも実物を見たことはなかった。ただ伊豆の川べりには、在来の落葉低木に混じってブラジルナッツや硬いログウッド、目の覚めるような艶やかな花をつけたカンナやマランタ、不気味な気根《きこん》・板根《ばんこん》を岸辺に踏ん張るタコノキやマングローブなどもちらほらと見えて、そこに日本産の葛がうっそうと絡みつき、人食いナマズぐらい出てもおかしくない雰囲気ではあったのだ。

当然蚊やアブの数も多く、道中はずっと蚊取り線香を焚きっぱなしだった。幸いこれはまだよく効いて、二人が歩くだけで面白いほど蚊がぽとぽと落ちた。

おそらく国道一三六号線だと思われるアスファルト面を、二人は懸命に追いかけて歩いた。なぜ「おそらく」国道であるところを「追いかけ」なければならないかというと、まず市道林道の類は八割がた崩壊して樹木が生え、道の役をまったく果たしていないからであり、路盤の頑丈な国道でさえも、割れ砕けたアスファルトの下から草木が伸びて、見極めることも難しくなっていたからだ。

それに鉄の標識は例外なく赤錆びており、プラスチックは色が抜けてパサパサに乾き割れ、まったく読めなくなっていた。皮肉なことに、昭和よりも前に立てられた石造りの里程標《りていひょう》だけが、かろうじて読み取ることができた。注意深く指でなぞれば。

そんな道ともいえない道をたどって、昼間は砂糖きびと葛をかきわけて進み、日暮れが近づくと道沿いの納屋や車庫に入った。二階建て以上の木造の民家や商店は、押しなべて草むして屋根も壁も破れているので避けた。旅の初期にはコンクリート製のホテルや社屋に入ったこともあったが、空調と照明のないその手の近代建築は牢獄のようなものであり、しかも排水が死んでいるとなまじな木造建築よりも不潔なので、早々に近づかなくなった。

かつての集落からやや離れたぐらいの一軒に宿って火をおこし、地図をにらんでその日の道程を振り返った。

「工次。もう賀茂《かも》のあたりまで来たかな」

「何言ってんだよ父さん、それ昼には通ったよ」

「はあ？　本当か？」

「昼飯食うとき日よけにしたのが、ようこそ賀茂への看板だったじゃんか。言ったろ？」

「覚えてねえ。ふーむ、そうするともう土肥《とい》まで来たかね」

こんな具合で現在地はあやふやだった。地名を記したモニュメントは大から小まで消え去りつつあり、いっぽう、手持ちの地図は古くて縮尺が合わなかった。

そうやって六日間歩くと、七日目は捏曜日としてその地に留まり、食べ物を集めて和菓子を作った。

「一座！」

「建立！」

「〝緑どくろ〟！」

「〝沢辺《さわべ》のうろこ〟！　おまえあのな、しゃれこうべ作ってどうする」

「だってあれびっくりしただろ⁉　保育園にぽつんって」

「それは楽しいびっくりじゃないだろうが、楽しいびっくりを作れと言ってるだろう！」

「それ言ったら父さんのもただのメコンナマズじゃないか、どこがびっくりだよ！」

だいたいはこんな調子でののしりあい、四度に三度は父が勝って、より快適そうな寝場所を取る権利を得た。

寝支度をして横になるといつも、その地の昔のことが気になった。かつてはここのように、日本のはしばしまで人がいた。今ではいなくなってしまった。

どこへ行ったのだろう。なぜ立ち去ったのだろう。ここは今でも去っていった人たちのものなんだろうか。賀茂という土地であり、土肥という土地なんだろうか。

ここは今でも日本なんだろうか。

人が撤退していく、あるいは撤退の終わった戦いの渚を歩いて、押し寄せるものの奥深くへ自分たちは向かっている。何かを求めて。

何を？

――なくなったものを、だろうか？　それが父の悩みなんだろうか？　失われているということが？

父はすでにいびきをかいている。

工次は遅くまで、太陽電池灯に照らされた天井を眺めていた。

中腹まで熱帯雨林に覆われた富士山のふもとに、大深度トンネルリニアの駅を抱える五十万人級のゲーテッドシティがあった。地下リニア路線は北方や西方に向かい、人口の多い都会へ、その果ては大陸へとつながっている。この町は地球を覆う技術文明の一翼を担っているのだ。その存在は工次たちが故郷にいるときから聞こえていた。

お菓子の宮古は連絡が途絶えている。つまりこの富士の町は、宮古ではないということになる。

だから二人は町の中に入ることはしなかった。町のゲートに数日滞在し、外来者を扱う町の行政部門と少しだけ接触を持って、補給品を買い付けただけだった。

「さて、このどこかに宮古があるはずだが」

再び旅装をととのえて道に出た朝、父親は富士で手に入れたこの先の地図を開いた。地図といっても人工衛星が撮ってきた大雑把な映像であり、その紙面はおおむね植物の緑一色に塗りつぶされている。道路や施設が記入されているわけではない。

富士の人々は、他人に説明できるほど町の外のことを知らなかった。ただ、父が話を聞いた役所の年寄りは、宮古があるのは南ではなく西だ、と言った。ここからずっと西の山の向こうだ、と。

結局は自分たちで行き先を決めるしかなかった。工次は自分の杖を立てて倒した。

「こっちへいこう」

「妥当な選択だ」

二人は北西へ歩き出した。

右手の森の向こうに富士山を見、左手の大きな川に沿って二日ほど進んだ。

三日目の午前に事件にあった。

夏草の生い茂る古い川堤を歩いていると、向こうからやってきた旅の者らしい四人組が、すれ違いざまに襲ってきた。

「おう、コラッ！　持ち物全部置いてけ！」

工次たちは伊豆へ着く前にも一度、関東大森林で襲われたことがあって、四人組の姿が目に入ったときから用心していた。相手が刃物を取り出すと、金剛杖と石で果敢に応戦した。

最初は苦戦したが、工次の投げた石がぐうぜん一番大きな男の目に当たって、形勢が逆転した。二人目の若くて威勢のいいやつを殴り倒し、三人目の猪みたいにずんぐりした体軀《たいく》の男は、足を打って転ばせた。

「おい貴様、まいったか！　まいったらさっさとどこかへ行け！」

そいつはこちらを睨《にら》みながらじりじりと下がっていき、石が届かないほど離れると、背を向けて四つんばいになった。そして肩越しに汚い言葉でこちらをののしると、打たれた足が痛むのか、まるで本物の猪みたいに手足を使って、ひょこひょこと森へ駆けていった。

「なんだ、あれ。あはは」

最後にひとり残った。頭に手ぬぐいを巻いた汚い身なりのやつだ。四人の中で一番大きな荷物を背負っているが、よく見れば四人の中で一番小柄で、腕っぷしも弱そうに見える。今まで手を出さずにぼけっと突っ立っていたところを見ると、ただの荷物運びの役割だったのかもしれない。

「まだやるか！」

勝利に酔った工次が意気軒昂に叫ぶと、汚いちびは夢から覚めたようにはっとした様子で、激しく首を横に振った。

工次はそいつの荷物が気になり、また、やっつけた二人の持ち物も気になった。

「父さん、こいつらを調べよう。何かいいものを持ってるかもしれない」

だが父は言った。

「おれたちは必要なものをもう持っている」

目に石の当たった大きな男を調べ、首を振って立ち上がる。

「こいつを殺してしまった。倒れたとき頭を打ったんだな。これ以上何も奪うことはない。早く行こう」

「でも……」

「もし仲間が来たらおれたちがこうなる」

父が促したので、工次もしぶしぶ従った。

半時間ほど歩いたところで、川の支流へ分け入って休憩した。流れる水を飲んで顔を洗うと、そのぬるい冷たさのおかげで心が落ち着き、反省の気持ちが頭をもたげた。

「……父さん、僕、人を殺しちゃったね。悪いことをした」

「おまえはおれを守っただけだよ」

「町の警察に言ったほうがいいかな」

「そんなことをしても誰も喜ばない。今の気持ちを忘れずにいるんだな。おまえはいい子だ」

そのとき後ろに人の気配がしたので、二人はさっと振り返った。

少し離れた茂みから、先ほどの汚いちびが顔を覗かせていた。父が鋭く言った。

「何の用だ」

「あんたら、どこへ行くの？」

それを聞いて父と工次は顔を見合わせた。予想外に高い声だったからだ。

父がまた睨む。

「女か？」

「そうだよ、チョコっていうんだ。あいつらに捕まってた」

「行き先を聞いてどうする」

「一緒に連れてってくれないかな。あんたら、いい人たちみたいだから」

言いながら、チョコと名乗ったそいつが近づいてくると、野でよく見かける腐った獣の死体のような臭いがした。工次は生理的な嫌悪感を覚えて言い返そうとしたが、それより先に、父が冷静に言った。

「おまえは、さっきのやつらの手先かもしれない。おれたちが寝入ってから仲間を呼び寄せる気だろう」

「そんなことしないって！　さっきも手出ししなかっただろ？」

「それは証拠にならん。とにかく断る。近寄ってきたらぶちのめすぞ」

父が金剛杖でダンと地面を叩くと、チョコは飛び上がって向こうへ逃げた。

しかし彼女はあきらめなかった。二人が歩き出すと百歩ほど後ろをひょろひょろとした足取りでついてきた。父が怒鳴りつけると木立に隠れたが、少し歩いてから振り向くと、踏みしだいてきた砂糖きびの向こうに、またあの小柄な姿が見え隠れしているのだった。

夜は念のため二時間交代で見張りをした。チョコは来なかったが、夜が明けて出発するとまた現れた。

そうやってしつこく後をついてきた末に、力尽きたように彼女は倒れた。工次はたまたま振り返ってそれを目撃してしまった。三日目の夕方だった。

「父さん、あいつへばったよ。どうする？」

「おまえはどうしたい？」

目を合わせると、お互いの顔に、放っておけないと書いてあった。

仕方なく、戻って介抱した。

チョコの持ち物は空の水筒一本だけだった。あの大荷物は二人に追いつくために置いてきたのだろう。

水を飲ませて涼しい木陰に引きずって行くつもりだったが、あまりの悪臭に耐えかねた。父が上着を脱いで宣言した。

「よし、こいつを剝《む》いて川で洗う。工次、おまえも手伝え」

「女の子だよ!?」

「そんなことはわかってる、もし目を覚ましたら大いに誤解されるに違いない。しかし、こう臭くちゃあどうにもならんだろう！　だからおまえも一緒に脱がせて誤解されろ」

工次は母の裸も見たことがなかったので、ここで生まれて初めて男女の体の違いを知った。ともすれば失われそうになる平常心を努力して保ち、工次はなんとかチョコを自分たちと同じ程度にはきれいにしてやった。それでわかったのだが、彼女はせいぜい工次よりも二つか三つ年上ぐらいの少女だった。手ぬぐいに包んでいた髪は背の半ばに届くほど長く、細身の可憐な体つきをしており、拭《ぬぐ》ってやった肌は意外にきめが細かくてなめらかだった。

幸いなことに、木陰へ運んで手洗いした衣服を着せ付けても、彼女は目を覚まさなかった。工次は慣れないことに動揺しっぱなしだったので、ぼろぼろのシャツとパンツでチョコの体が隠れると、ようやく一息ついた。

「まだだ、洗っただけだ。しばらく面倒を見てやらにゃならん。工次おまえ、砂糖きび搾《しぼ》ってこい」

そんなわけで、その週の末まで工次たちはそこで野営する羽目に陥った。

日曜日が来た。いろいろと面倒な一週間だったが、追い剝ぎが復讐に来ることはどうやらなさそうだった。後半は動かずに砂糖きびを刈ったりキャッサバを掘ったりしていたので、材料の余裕があった。父は和菓子を作ることを決めた。

菓子作りの想を煉るという点でも難しい一週間だった。印象に残ることがいくつもあったが、工次は雑念を払おうと努力し、やがて記憶の中からひとつの光景を選び出した。

午後いっぱいかけて作業を進め、晩に二人は焚き火のかたわらで対決した。

「一座！」

「建立！」

一目見ただけで父の作品はわかった。工次はげんなりとしつつ、言った。

「銘は？」

「〝拭《ぬぐ》い白花《しろはな》〟」

柔らかく真っ白な求肥《ぎゅうひ》をなだらかな丘の形に盛り、てっぺんには色を抜いて桃色にした小豆をひとつ。丘の斜面には、たぶん水溶きの寒天を刷毛で塗ったのだろう、瑞々しい水滴をうっすらとまとわせてある。それを六枚皿のひとつ、「静ヶ池緑丸《しずがいけみどりまる》」に載せてきた。緑濃い地面にくっきりと切り抜いたように映える、白肌色の丘。

「なに、これ」

「おっぱいだ」泰然として父は述べた。「もうずいぶん長いこと見ていない。それがあそこで出て来るとは思わなかった。それもえらくキレイなやつが。衝撃だった」

「いやらしいことを考えるなよ！」

「いやらしいのが男だろうが。おまえもどう出すかを考えろ」

「和菓子ってそういうのでいいの!?」

「向いてると思うよ。でも伝統にはないなあ。遊び心では絶対に負ける気がせんのだが……」

彼なりに悩んだらしく、沈鬱そうに額を押さえたが、やがて顔を上げた。

「まあそれはともかく、おまえのは？」

「〝おみそれ〟」

かなり凝った。得意分野である有平糖細工で立ち木を何本も作って、六枚皿のひとつ、茶と灰色の「散る葉の谷」に立てた。それを背景として、コロッと丸い茶色の薯蕷《じょうよ》饅頭を置き、竹べらで毛並みを刻みこんだ。

「ふむ、相変わらずおまえのはジオラマっぽいな」

「ほっとけよ」

にやにやしながら覗きこんだ父が、饅頭の背景側にきゅっと突き出している部分と、その先端の、こなし製の薄黄色の鼻先に気づいた。

「猪……かな？」

「そう」

「森へ逃げこむ猪。ああ、なるほどなあ……」

にやにや笑いを収めて、父はしげしげと工次を見た。

「いいよ、これ。あの固太りのやつの見立てだろ？」

「う、うん」

「それで、秋の季語である猪を、秋の皿の『散る葉の谷』に合わせるってところまで考えた？」

「えっ、季語なの？」

「ははは、そこは偶然だったか。まあいいやははは、おまえの勝ちだ」

父は大笑いし、上機嫌で工次の髪をくしゃくしゃとかき回した。やめろよ、と押し戻しながら、工次も悪い気分ではなかった。

「あんたら、何してるの……？」

いつの間にか目を覚ましたチョコが、焚き火の向こうから不思議そうに見ていた。


和菓子とは、とチョコに向かって説明しようとした工次の試みは、早い段階で挫折した。

「四季や歳時の光景を、有職故実《ゆうそくこじつ》にからめて切り出すんだ。あまり具体的であるよりも抽象的に、侘びと遊びの心を抱いて想を煉り、器にも菓子との響きあいを持たせて……」

「はぁ？　何語でしゃべってんのそれ」

術語の九割が彼女には通じず、一階層掘り下げて話すだけで、もう飽きられた。

父はこう話した。

「ゲームだよ、ゲーム。一週間にあった面白いことを形にするゲームだ」

「なんでそんなことするの……」

父の説明は工次のそれより伝わったようだった。チョコは焚き火のまわりを回って彼に近づき、そこで〝拭い白花〟に気づいて少し見つめていたが、やがて目元を赤らめた。

工次は腹立ちを覚えて声を上げた。

「父さん、それ、しまえよ」

「ん？　ああ」

父は乳房の形の菓子を背後へやった。チョコは視線を工次の〝おみそれ〟に移し、これもじっと見つめたので、工次のほうが腰を上げて、彼女のそばへ皿を持っていった。

チョコは顔を近づけてためつすがめつしてから、くるりと工次を見た。

「これ、ダイゾー？」

「ダイゾー？」

「逃げてったやつだよ、どてっとした重い体で、口が臭い」

「ああ、多分そいつ」

「ふーん……」

ぷっ、とチョコは小さく笑った。そして鼻をひくつかせた。

「いい匂いがする」

「お菓子だから。食べていいよ」

「これ、食べ物なの？」

うなずいてやるとチョコは目を見張った。そして猪形の薯蕷饅頭をぱくりと口に放りこんだ。

あごを動かし、ふと止める。瞳を潤ませて、ぎゅっと閉ざした。

「おいふぃい……」

「そう？」

「菓子、食ったことないんじゃないか」

そう言った父を驚いて見つめ、またチョコに目を戻して工次は確かめた。

「そうなの？」

「ふぁひって、はに？」

チョコは有平糖の木立も、父の〝拭い白花〟も平らげた。その合間にぽつぽつと自分のことを話した。元は西のほうの森で一家で暮らしていたこと。あるときちょっと家から離れたら、追い剝ぎたちに捕まってしまったこと。それから雑用係として三年ほど連れ回されて、歩き旅でこの地へやってきたこと。一人では生きていけず、逃げるに逃げられなかったこと。本当はきれい好きであること。

「きれい好き？」

餡と水飴のついた指を衣服になすりつけているチョコを、工次はいぶかしげに見つめてしまった。不躾《ぶしつけ》なことをしたと気づいて目を逸《そ》らしたが、それは伝わってしまったらしく、チョコが顔を歪めて吐き捨てた。

「あれは──好きでやってたんじゃないよ。触られるの、嫌だったから」

「じゃあ、これからはやらなくていいな」

チョコが、はっと息を呑んだ。

「工次、タオル貸してやれ」

父に言われて、工次は一番きれいなタオルをチョコへ渡した。

「拭きなよ」

チョコは指を拭かなかった。代わりにそれに顔を埋めて、泣き出した。


はぐれの少女が参加した翌日、一行は北西と東に開けている盆地を見下ろす高台に出た。字引を引いた父が、甲府盆地だろうと言った。宮古は西にあるのだから、西のほうへの道筋が見えるのはよいことだった。

三人は富士市からともに歩いてきた大きな川の流れを追い、コンゴウインコとフクロザルの鳴き立てる湿潤な低地を突っ切った。そして、西日を浴びる雄大な赤富士に別れを告げ、遠く、くろぐろとそびえる北岳と八ヶ岳のはざま、信州へと分け入っていった。

むかし甲州街道、そして国道二〇号線であった谷筋は、今では鬱蒼《うっそう》として緑濃く、しばしば道ですらなくなった。旅は難しくてはかどらないものになった。工次たちはこれまでに身につけたペースをやや落とし、五日歩いては、二日休んだ。最後の捏曜日には菓子を作った。

一緒についてきたチョコは、いいと言っているのに父の荷物を分け持ったり、普段の食事を作ったりした。だが、途中すれ違った猟師を妙にぎらぎらした目で見て、あの鉄砲を騙し取ったら役に立つんじゃないか、と物騒なことを言ったりもした。善良ではないにしても、恩を知る性格であるようだった。父には比較的よくなつき、工次には比較的よくからんだ。

　ことに捏曜日《ネツヨウビ》には、いろいろなことを言って工次を困惑させた。

「捏曜日ってなに？　聞いたことない」

「捏曜日でいいんだよ。僕と父さんで生地を捏《こ》ねる日だから、日曜日じゃなくて捏曜日にした」

「日曜日ってのも知らないけどな。で、なんで捏ねるの？」

「だから、四季や歳時の景色を写し取るためって言っただろう」

「なんでそんなことするの？」

「日本の心、和の心を表現するのが和菓子だから……」

「なんで？　菓子って食い物だろ？　食い物を捏ね回すのって変」

「父さん」

　苦り切って助けを求めると、父はこの上なく楽しそうな顔で、「君ら、偉いなあ。そんな難しい話、父さんわからん！」と言い放った。

　そうはいっても、和菓子のいろはを工次に教えこんだのは、当の父なのである。工次がまだ学校に上がったばかりのころから、厨房に立って指南書と首っ引きで餡を捏ね、水きり板に伸ばした生地を包丁するかたわら、いま自分が立ち向かっているもののことを、食いしばった歯の間から一語一語、押し出していた。あれは、流し台にしがみついて見つめていた、わが子に聞かせた言葉ではなかったのか。

湧き出した疑問が菓子作りの手を鈍らせる。横からチョコが「だいたいなんで外歩きながら菓子なんか作るの？　そんなの町でやればいい」などと言うからなおさらだ。

そんなやり取りをちっとも気に留めず、父は野営地の周りを歩き、「おい工次、竹やぶだ！」と歓声を上げては、ワイヤソーでこれを切って中を洗い、透明の涼しげな錦玉羹《きんぎょくかん》を詰めこんで、笹の葉で口を縛って閉じ、伝統そのままの和菓子を作ったりするのだった。

「〝竹流し〟だ」

下支えするのは「氷六角《こおりろっかく》」、精緻な切子《きりこ》の施された無色透明の凜とした皿だ。竹を取って笹の蓋を払うと、てろりと筒状の菓子が滑り出し、嚙むとひんやり冷気が染みる。ご丁寧に薄荷《ハッカ》が忍ばせてあった。素材と見た目と名前と皿の全体から、夏の一文字が攻めてくる。すがすがしいほど見立てもくそもない。

工次はさっぱり納得がいかない。菓子の味に、というよりも佇まいそのものに、顎の肉がきゅっと引き締まるようなうまさをしみじみと感じながらも、尋ねる。

「父さん、これって侘《わ》びなの？」

「侘びなもんか。こいつは全然侘びでもなんでもない」

父は真顔でそう言い、つるりと菓子を呑みこんで、うーんと首を振った。

チョコは〝竹流し〟だろうが〝唐衣《からごろも》〟だろうが、単に食ってうまいまずいと述べるだけだったが、まったくの考えなしというわけでもなかった。

あるとき、山猫と鹿のうろつく中央自動車道を歩きながら、疑わしげに尋ねた。

「ミヤコって本当に、苦労して歩いていくだけの、うまいお菓子があるの？」

それが目的だと、この少女は思っているのだ。

父が、路面を這う葛を避けて足を運びながら言った。

「チョコ、おまえこの世界に、見たい景色はあるか」

「えっ？」チョコは思わぬ質問に目をくるくる動かす。「あたしは涼しい北極のオーロラっていうのが見たいかな？　あ……うちが見たい。パパとママのいるうちが――」

「なあ、人間には見たい景色がある。以前に見て感動したものもある。でも実際に目で見る機会は、滅多にない」

「だから、自分の手でそれを再現しようっていうこと？　目の前にないものを？」

父は微笑《ほほえ》んで歩いている。工次は道々の光景を思い出す。人の去った国土。過去しか見当たらない道筋。

「でも父さん、なぜお菓子なの？　架空のものを作るだけなら、他の材料でもできるよね？」

「なぜ、と感じるよなあ……菓子でなくても、と思うよなあ」

父はインター前で刈ってきた砂糖きびをへし折り、切り口をしゃぶる。白っぽい汁が汗に混じってあごひげから滴《したた》る。

「なあ工次。よく効く薬って、どんな薬だと思う?」

「薬?」工次は面食らって考える。「そりゃあ、苦い薬じゃないの。良薬は口に苦しっていうし……」

「そう思うよな。だが聞けよ、こんな話がある。むかぁしむかし、垂仁《すいにん》天皇に仕えた田道間守《たじまもり》というおっさんが、病気になった天皇のために薬を取りにいった。死者の国への遠い旅だ。十年かけておっさんが取ってきたのは、非時香果《ときじくのかくのみ》っつう、果物だったそうだ。――甘い甘い、菓子だったんだよ。これが菓子ってものの起こりだとされる」

「それは……?」

話の意味を汲み取りかねて、工次は父の顔を見上げる。菓子は景色を表す、甘いもの。それは当たり前すぎて、答えとして呑みこむには歯ごたえが足りない。

父は何も言わない。

「……それが、宮古のうまいお菓子なの?」

チョコが不思議そうに聞くと、父はあるといいなあ、と笑った。

塩尻《しおじり》で向かう方角を転じ、鳥居《とりい》峠を越えた先、木曽川源流で筏流《いかだなが》しに出会った。最近すべてのダムが壊れて川が全通したので、河口まで下れるという。

物珍しさも手伝って、三人で乗りこんだのが失敗だった。

「あ、すごい蝶！」

赤い翅《はね》が水面をかすめて優雅に飛んでいった。うちわほどもある大きさからすると、蝶ではなく、南の孤島に産する希少な蛾が、本州にまで棲息圏を広げていたのかもしれない。

なんであれチョコは勢いよく身を乗り出し、傾いた筏から落ちた。とっさに手を伸ばした工次も水中へ引きずりこまれた。

「工次！」

後を追って大きなものが飛びこんできたような気もするが、記憶が途絶えている。

気がつくと白い清潔な病室に、チョコと二人で寝かせられていた。

工次は跳ね起きて、誰彼となく聞いて回った。

「父さんは!?」

日時は落ちてから三日目。場所は木曽川下流に位置する東海地方随一のゲーテッドシティ、岐阜濃尾市《ぎふのうびし》の病院だった。気を失った三人を引っぱりあげた筏流しが、できるだけの救命措置を施したあと、運んでくれたのだ。おかげで工次とチョコは一命を取りとめた。

父は蘇生しなかった。

病院の霊安室で対面した遺体は、額に小さくしわを寄せており、難しいことを考えているように見えた。何を考えているのか、もう聞くことはできない。硬くなった手を握って、この暖かくなった世界でも死体はやっぱり冷たいんだ、と工次は思った。

「ごめんね、コージ、ごめんね」

チョコは泣いて謝ったが、元より工次は怒ってなどいなかった。彼女に向かって、素人《しろうと》だけで荒れた自然の中を旅していれば、こういうことはいつか起こるんだ、と答えた。しかしそれはもちろん、事故が突然すぎてまだ感情が追いついていないだけのことだった。

文明社会の構成員が死んだときの一連の手続きが、自分の周りで進んでいくのを、物事がまだよくわかっていない幼児のようにぼんやりと眺めた。

葬儀と形見分けが済むと、外来者担当の市の役人が現れて、事務的なことをやや優しく告げた。

「君は亡くなったお父さんの保証により、日本国民だと認められています。故郷の町へ帰るか、この町で成人を目指すか、お決めなさい。選択可能な将来職業のリストはここに」

「……すぐに決めないといけない？」

「道を選ぶのです。ここは岐《ちまた》の阜《おか》、都よりの道が分かれるところ」

役人の言葉に、工次はふと興味を引かれた。

「宮古？　宮古への道があるの？　この町から？」

「これは古い言い回しで、特に意味はありません」役人は面食らってそう言ったが、工次が詳しい話をせがむと、仕方なさそうに説明した。「ええ、都があります。西の方角、吹雪の山を越えた先、大きな湖の南」

「そこに、砂糖が取れる宮古の島があるの？」

「島？　都は古い盆地よ。島ではないわ。ごっちゃになっているのね」

そこで工次は初めて、京都、という古い地名を知ったのだった。

しかしそれがわかったからといって、どうなのだ。都を目指していた父は死んだ。自分は父の後をついてきただけだ。旅の目的は失われた。むしろこの先へは進みたくない。まだ父のそばから離れがたい。

どうにも思考が散漫になってまとまらなかった。市壁の上から外を眺める展望台でぼんやりしていると、上ってきたチョコが後ろでうろうろしていることに気づいた。

「どうしたの」

「えっとね、コージ。西に――」

何か言いかけたものの、口ごもってしまい、唐突に別のことを言った。

「いいや。あのね、あんたたちのしてること、そんなに変じゃないって思うようになったよ、あたし」

「そんなに変じゃない、か」

「ああ、そうじゃなくて――とにかく全然変じゃない。ね」

そう言うとひらりと身を翻《ひるがえ》して去っていった。

今後のことで迷っていた工次がそのやり取りの意味に気づいたのは、丸一日たってからだった。様子を見に来た役人に意外なことを告げられたのだ。

「チョコが出ていった？　なんで？　あいつここに住むんじゃなかったの？」

てっきり、落ち着くところが見つかって安住すると思っていたのだ。

役人は意外そうに答えた。

「蝶子《ちょうこ》さんは住めません。国民番号がありませんから。規則から言えば、日本に流れ着いた外国人と同じ扱いです。聞いてなかったの？」

「番号がないのなんか当たり前でしょう、あいつは何年も前に追い剝ぎにさらわれて、着の身着のままで生きてきたんだから。大体、チョコは海渡ったことないんだぞ！　間違いなく日本生まれだ！」

「証明が必要です。ご両親を見つけるか、さらわれる前に住んでいた場所がどこかをはっきり示すことができれば、国民と認められます。家の間取りや近所の様子などね」

「それであいつが一人で出ていったって？　そんなのおかしい、僕に一言もないなんて――」

途中で工次は言葉を呑みこんだ。そして父の遺品が置いてある部屋へ駆けていった。

三日目の午前に追いついた。チョコは小高く茂った榎《えのき》のそばの倒石に腰掛けて、ぐったりと水と塩を舐めていた。工次が近づくと立ち上がった。

「やっぱり、へばってたか」

岐阜濃尾市の窓口でもらえる限りのものをもらって、かつ口に出せないような手も使ったのだろう。チョコは最初に会ったときのような大荷物だった。それで歩いていけるのがむしろすごいと思った。しかしチョコもこちらに負けないほど驚いたようだった。

「コージ、すごい」

工次は父の大背嚢を背負っていた。その頂は頭のてっぺんよりさらに腕半分高くそびえている。背嚢の右には銅製のサワリ鍋、左には水切り板が、背後には皿や型や竹べらを収めた什器入れがぶら下がる。野営道具に菓子作りの道具が加わって大変な重さだ。

しかしそんなことはおくびにも出さず、工次は荷物を降ろして倒石に腰掛けた。

「もともと二人分だったから一人分に削ったんだよ。たいしたことない」

「……いいの？」

「何が」

尻を置いた石に文字が刻まれている。一里塚浅野《あさの》幸長《よしなが》陣所古址とあった。

父がやっていたように字引を取り出し、最初の三文字だけ解読した。

「いちりづか、か。昔の街道の目印だな。こういうの探していけば都に着くだろ」

辞書にはページを折ってたくさん書きこみがしてあった。和菓子作りの手がかりになりそうな言葉を片っぱしから選んだようだった。

「いいの?」

チョコがもう一度聞いた。工次は彼女の塩の瓶を取って手に振り出し、口に放りこんだ。

「許すかってことか? 怒ってるよ。おれに黙っていくなんて。……おまえまで行っちまうのかと思った」

「そうじゃなくて、トーさんがあたしのせいで――」

「それはいいって言っただろ」

工次はチョコの言葉を遮って言った。それは、ふとしたときに感じるようになった寂しさと立ち向かうための言葉でもあった。塩の瓶を握った手が小さく震えた。

チョコが信じられないという顔で言った。

「続けるんだ? 旅」

工次はチョコの顔を見て笑ってみせた。

「用心棒、ほしいだろ? おまえも」

「――うん。でも、もっとごついほうがいいよ」

そう言うと、チョコは工次の腕をつかんだ。

二人はまた、密林に覆われた土地を歩き始めた。あたりの植物から砂糖や澱粉《でんぷん》を精製していた父がいなくなったので、菓子作りは楽ではなくなった。それどころか毎日の食事にも事欠くようになった。

だが、人跡の途絶えた国土には、努力さえすれば手に入る食べ物が豊富に隠されていた。二人は協力してそれらを見つけていった。

五日進んで、二日休む。そしてもちろん、父がいたころと同じように、捏曜日には菓子を作った。

猿の跳ぶ関ケ原の森で草餅を搗《つ》いた。不思議にも冠雪をいただいている伊吹山麓《いぶきさんろく》で汁粉を溶いた。深い霧に包まれた琵琶湖畔で寒天を固めた。

なぜ作るか、なぜ進むかという疑問は常に付きまとった。むしろ頭に浮かぶそんな疑問を振り払うために、手を動かして菓子を作った。水を汲み、火を熾《おこ》し、路傍の石や浜の岸壁に水きり板を置いて、汗をかきながら餡を煉り生地を蒸し、目を細めて繊細な造型を施していくと、疑問は綿毛のように散り消えていった。

そして出来上がったものを皿に盛り、一帯を清めて待っていたチョコの前に出すと、為すべきことをしている――というよりも、在るべきものを在らしめているという、全き気持ちになりかけるのだった。

「一座――」

「こんりゅう！」

チョコがつまむ。そして述べる。

「ぱさぱさする」

「ああ……悪い、蒸し器の水量かな」

「でもおいしいよ」

いつも完全には達成できない。まだまだ全然、技量が足りていない。

その都度また、大ざっぱだが勘所を押さえていた、父の手わざを思い出すのだった。

作りながら歩くこと、また十数週。湖がくびれて対岸が近づいたところで、水上に木竹の網を組み、マスやモロコ、カワイルカを獲る人々がいた。岸へ来た彼らに和菓子を振舞ったところ、たいそう喜ばれ、思いがけない好意を得ることができた。

「おまはんた、都へお行きか。連れて行ってあげようか？」

「都が近いんですか？」

まずそこから驚いてしまった。都を目指してきたにもかかわらず、心のどこかでそんな町はないかもしれないと思っていたのだ。

「そうや、すぐそこの山向こうや」

魚獲りたちは気さくに対岸の山を指差す。千二百年のお菓子の町にようやくたどりついたのだ。是非もなかった。二人は頼んだ。

「お願いします、道があるなら教えてください！」

「そうかそうか」

魚獲りはそう言うと、ひょいと持ち舟に飛び移った。

「お乗り。山、越さしてあげる」

「お舟で？」

チヨコが間抜けな顔で尋ねる。

魚獲りは愉快そうにうなずいた。


真っ暗な闇の中を音もなく小舟が行く。いつとも知れぬ昔から水の流れ続ける琵琶湖疏水《そすい》の水路とトンネルを通って、二人は都に入った。

蹴上《けあげ》のトンネル出口を抜けると空気が変わった。熱風が顔を打った。

二人は目を見張る。そこにあったのは想像もしなかった光景だった。

立ち並ぶ炭化した柱と崩れた壁。一面のそれらを覆う枯れ尾花。あちこちにそびえる小島のような榎と檜《ひのき》の森。低木の茂みで尾を振るツチブタと、群れを作って飛んでいく色鮮やかな風鳥《ふうちょう》。

呆然とする二人を尻目に、魚獲りは陸に上がって、手近の廃墟から燃えかすを剝ぎ取ってきた。

「おまはんたもお取り。まんだええ炭がようさんある」

「都は——燃えちまったんですか」

「炭、取りに来たんやないの？」

魚獲りは面食らっていた。

彼と別れて、二人はすぐそばの山に登った。とてつもなく暑くてすぐに大汗をかいた。尾花の揺れる坂を上りきると、西を向いた猫の額のような霊園があって、見慣れないゆったりした黒服を着た男が参っていた。二人を見て疲れをねぎらい、墓地の先にある住処《すみか》へと誘った。小判形の果実がたわわに実った藤棚の奥に、小さな庵《いおり》があった。

そこからの眺めは、二人がまだ持っていた希望を打ち砕いた。

都は見渡す限り焼け果てて、乾いていた。東のはしから北や西のはしまで廃墟と化している。再建の始まる気配はなく、取り壊されている様子すらなかった。

黒緑と茶の中で、平安神宮の鳥居が右半分だけ、痛々しいほどくっきりと赤くそびえていた。

「どうして……」

「昔から鍋底の京と言いまして、ここは周りを山に囲まれて風通しが悪く、夏はひどく暑くなる町だったのです」男が言った。「それでも毎年秋が来るあいだは人が住んで栄えていました。けれども地球の具合が変わり、秋が来なくなって、フェーン現象——山を下る熱風がたびたび吹くようになると、ここはきわめて住みづらくなりました。大きな火事が毎年起こり、建て直すよりも燃え落ちるほうが速くなって、さすがの都人たちもここには住めなくなったのです」

「それであなたも――」

「私は最初、この遺跡を調べに来たのだけど、不憫《ふびん》になって弔《とむら》うことにしたんだよ」

そう言うと男は金髪の頭を振り、青い目を伏せて首にかけたロザリオに触れた。

工次は衝撃を受けていた。都は焼けてしまった。父があれほど求めた和の心は、もう手に入らない。

庵の縁側に手を突いて、長いこと落ちこんだ。チョコがその背を心配そうに見つめていた。

午後が深まり、夕風が吹いた。鳥とコンドルが梢に鳴き、赤い日が知恩院《ちおんいん》の向こうへ隠れて、廃都は暗く沈んだ。

工次は立ち上がった。奥で書き物をしていた庵の主人に声をかける。

「火、使っていいですか」

「へ」

うたた寝していたチョコが寝ぼけ眼《まなこ》をこすった。

父はたくさんのヒントをくれていた。その中には、父自身が求めているものもあった。ただ、砂糖きびの生い茂るこの旅のさなかには、気づくことができなかったのだ。ススキの原と化した都にたどりついてようやくわかってきた。

細心の注意を払って工次が作り上げたのは——。

「〝遠山餅《とおやまもち》〟」

白い打ち粉を十分にまぶした、若草色のぽってりとした丘。素焼きの白皿「白雲《しらくも》明《あ》け道《みち》」に合わせて、大きすぎないよう控えめに作った。

「ほう、お菓子ですか」

庵の主人は夕食もまだだったが、工次の仕事に興味を持ち、お茶を淹《い》れてきた。

暖かいオレンジ色の光を放つ太陽電池灯のもと、都を見下ろす縁側にもう一度出て、羽二重餅の饅頭を載せた皿を三人で囲んだ。チヨコが遠くと手元を見比べ、不思議そうにぽつりと言った。

「緑なんだ」

「うん。気になるか？」

「だって、これ、この町を囲む山の真似でしょ？　だったら真っ黒にしたほうがいいんじゃない？」

「わかってきたじゃないか。でも、これでいいんだ」

「いただいても？」

主人が尋ねた。流暢すぎる日本語は、ロザリオ型の翻訳機が話しているらしい。ティーカップに湯気を立てているのは紅茶だった。禅も茶も侘び寂びも知らない二人に向かって、工次は勧めた。

「どうぞ」

二人ともぱくりと無造作に食べた。そしてちょっと笑顔になった。

「すっぱい」「これは、表の?」

「はい、いただきました」

元来の遠山餅は草色に染めた餡を包んだものだ。だが工次は藤棚を占拠していたキウイフルーツをもいできて、餡の代わりに使ったのだった。

一座建立、と胸の中でつぶやいて、自分もそれをつまんだ。きっと父が想像していたに違いない、都の緑の丘。しかし一口かじり取れば、ほんのりと優しい餡の甘みではなく、刺激的な熱帯果実の酸味がたっぷりと舌にこぼれる。だがその異質さにもかかわらず不快ではない。異質であっても、甘く、うまいから。体のための良薬である前に、まず舌のための戯れであるから。

それは和菓子の形をした、和菓子ではないもの。しかし見立てを用いて今ここにない雲上の都を思い起こさせる、まぎれもない和菓子そのもの。

というよりも、この菓子で見立てたのは――。

「物足りないなあ。コージ、ひとり一個だけ？」

「ああ」

「もしかしてわざと？　――今そういうむなしい気分だってこと？」

「……ああ」

うれしい驚きとともに、工次はうなずいた。菓子にこめた弔意《ちょうい》にまで、この少女が気づいてくれたから。

見立ての和菓子によって、失われた和菓子体系そのものを偲《しの》んだ。そうして工次は父が始めた父の旅に、終止符を打ったのだった。

一晩の宿を借りて、翌朝二人は発《た》った。空気は早くも暑く、サバンナの空のように見上げるほど高い雲が育っていた。

「コージ、どうする？」

大荷物にもすっかり慣れたチヨコが、しっかりと筋肉のついてきた足をしゃんと踏ん張って尋ねる。彼女が口に出そうとしない問いをいつものようにあっさりと読み解いて、工次は答える。

「西へ進んで、おまえんちへ行く」

「もう和菓子はいいの？」

「もうっていうか、いいっていうかなあ」

工次は俺の藤棚からもいできたキウイを二つに切って、チョコに半分渡した。ふと、その透き通ったグリーンを寒天にできるだろうかと考えた。

「あ、無理だ。まだ作る」

「ずっとか。わかんねえなあ、もう！」

チョコは果肉を木さじで平らげると、残った皮を焼け跡へ放り投げた。

取材協力・ふくら庵（一宮市）
参考図書・『京菓子歳時記　京菓子司末富の十二か月』（光村推古書院）

和菓子

古入道きたりて

恒川光太郎

恒川光太郎
つねかわ・こうたろう

1973年、東京都生まれ。

2005年、「夜市」で日本ホラー小説大賞を受賞。

作品に『雪の季節の終わりに』『秋の牢獄』『草祭』『金色の獣、彼方に向かう』『私はフーイー』など。

☆

九月に入る少し前のことで、俺は長門《ながと》渓谷にいた。

姉が中津《なかつ》温泉に嫁入りしていて、訪ねていったのだが、そのとき、義兄に当たる男から、中津温泉からバス停三つ先にある長門渓谷は岩魚《いわな》の宝庫だから、時間があるなら帰りに寄ってみたらいいと勧められたのだ。

元来、釣り好きだったので、どんなものかとリュックと釣竿をかついで、俺は山に分け入っていった。

長門渓谷はいい川だった。人里から遠いためか、人がほとんど入っていない、静かなところだった。

ごろごろと石の転がった河原から、少し進み、淵をのぞくと、これが深く透明で、百匹ほどの岩魚が群れていた。

感激しながらいくらか釣って戻る途中、凄まじい雷が鳴り始めた。

空は暗雲に覆われ、あたりは薄暗くなり、とたんに雨が降ってくる。

どうしたものかと思ったところで、山の中腹にポツンと家が建っているのを、樹木の隙間から見つけたのだ。

最初、俺はそこを避難小屋だと思った。

さほど遠くなく、そこに向かうのであろう小道も目の前にあったため、雨宿りでもしようと、足を向けた。

近くまでくると、避難小屋ではなく、人が暮らしている気配があった。

「すみません、すみません」

声をだすと、引き戸が開き、老婆が顔をだした。

「この天候で難儀しておりまして、少しばかり軒《のき》をお借りしてもよろしいでしょうか」

「ああ、よござんすよ」老婆はいった。「どちらから来なすったんで」

「中津温泉のほうから」

「ほうほう、釣りですか」

「ええ」

魚籠《びく》を見せると、老婆は頷《うなず》いた。

ぴしゃりと閃光、続いて轟音。

良かったらどうぞ、と魚籠ごと渡した。

老婆は黙って魚籠を受け取った。それ以上、穿鑿《せんさく》をしなかった。老婆の体は小さく、つぎはぎのある着物を着ていた。

俺はしばらく軒の下で休んでいた。

老婆は麦茶をだしてくれた。

雷はほどなくしてやみ、雨も上がり、雲も晴れた。

だが、そのときには日も暮れかかっていた。バスの時間も逃していたし、夜の山道は足元も見えなくなる。

「夜は危ないでござんすよ。こんな襤褸家《ぼろや》でよければ、二階に案内しますので、泊まっていかれたらよいでしょう」

それはありがたい、と礼をいった。


ざっと観察したところ、電気と水道はない家のようだった。ポンプ式の井戸から水を汲んでいるようだ。一階の灯りはランプ。もちろん電話も通じていない。

二階の座敷に案内された。三面鏡や、古箪笥や長櫃《ながびつ》が置かれている。部屋の隅には蜘蛛の巣が張っていた。軍服を来た男の写真が額に入って飾られていた。

「日露戦争のときの、
老婆はいった。

「ご亭主は」

「とうに死にました」

窓からの眺めは良く、連なる山々が見えた。西日に染まった遠い尾根に立つ樹木を見ていると、何か心の隅がうずいた。

「今晩あたり、満月ですから、山を古入道《こにゅうどう》が歩きますよ」

老婆は目を見開いていった。

俺は首を傾《かし》げた。コニュウドウ？

「夏ですからねえ。夏の夜ですからねえ」

老婆はいったん引っ込むと、膳をもってきた。俺が渡したものであろう岩魚の塩焼きに、白米。山菜、漬物、そして大根の煮物だった。

どれも圧倒的にうまかった。

電気がないものだから、すぐに暗くなる。

老婆は、行燈《あんどん》に火をいれた。

ちらちらと行燈の炎が部屋を照らす。

時の流れから取り残された場所のように感じた。

「おばあさん、さきほどの……コニュウドウってなんですか？」

たぶん、何か虫のような気がした。このあたりでコニュウドウと呼んでいる虫がいるのだと。

「古入道を、ご存知ない？　わたしなんぞは、ずうっとこのあたりの土地で婆さんになるまで生きてきましたんで、夏の古入道といったら、当たり前のことですがね。でもまあ、ヨソの人は知らなくても当然かもしれないですね。外に現れるんですよ。ええ、この二階から見えますよ。見えれば幸運です」

「外に？　あの、どういうものですか？」俺はまたきいた。

「まあ、お化けや幻の類ですな。しかし怖くはないですよ。無害です。熊や蛇や野犬のほうがよっぽど怖い。

古入道はね、灯りをつけとったら見えません。見たければ灯りを消すのです。ええ、あれは繊細な現象でして、こちらが目立つと消えてしまうんですわ。灯りを全部消して寝たふりをすることです。そして、そうっとそうっとそこの窓から外を覗きなされ」

食後は、すぐに行燈を消した。

他所《よそ》の家に泊まらせてもらった身だ。きっと油だって高いだろうと思ったし、特に灯りをつけてでも読みたい書物の類があるわけでもない。

七時か、あるいは八時ぐらいにはもう床についた。

少し眠った。俺は真夜中になると、そっと起きだして、窓から外を眺めた。

満月が空に登り、低山の連なりを照らしていた。

秋は山から来る。里では夏日が続いていたが、ひんやりとした風が、木の匂いを運んできていた。りんりん、ぎりぎり、と虫の音に満ちている。

山並みの向こうの空に、月光を浴びた雲が、銀色の輝きを発していた。

はて、古入道とは？

何もなかった。ただの——夜の風景だった。

と、にわかに山の向こうから巨人が姿を現した。

はっと息を呑む。

そこから先に俺が見たものは、言葉で正確に表すことはできない。

古入道は——山をひとまたぎにする巨人だった。

あまりにも巨大すぎて、それ自体が山のようだ。体中に木が生えている。

背中の面積だけで、町が一つか二つおさまるだろう。

頭のあたりには何百羽もの鳥が、旋回している。

顔は人間のようでいて、どうもバランスが違う。鼻が大きく、目が大きい。こんな顔の猿が熱帯のどこかにいたように思う。

猫背で、顔を前に突き出している。頭には塔のようなものが載っている。疲れきって前のめりに倒れる寸前のような歩き方だ。

その、超巨大生物が、さしたる音もたてずに、山を歩いている。

全身に汗が滲《にじ》んだ。

理解などできるはずもなかった。

あんなものがいるのなら、大騒ぎになるはずだ。それこそ、日本中が騒ぎになる。だが、なっていない。老婆の説明も、夏の夜のちょっと不思議な現象、といった風だった。

見ているだけで思考が奪われていく。

古入道は音を発さずに動く。

ある程度近くまできたが、家を通り越して山の向こうへと歩いていく。

やがて古入道はゆっくりと蹲《うずくま》った。

そして、そのまま暗い山影に同化して消えた。


いつまでも古入道が蹲ったところを眺めていた。暗い山影はもう動かなかった。


翌朝、太陽が昇ってから、もう一度古入道が蹲ったところを確認した。なんの変哲もない青々とした山があるだけだった。

布団を畳んでいると、襖が開いた。

「おはようございます」

「へえ、おはようございます。眠れましたか」

おかげさまでありがとうございます、と俺は封筒をとりだした。なんといって渡すべきかわからない。

「すみません、心付けです」

決してたくさんは入っていないが、中津の温泉宿の素泊まり料金ぐらいは、入っていた。

老婆の手に握らせると、老婆は頷いて、封筒を懐《ふところ》にしまった。何か悪いやりとりをしたように小声でいった。

「ありがてえこってす、へえ」

「昨晩、窓の外で見ましたよ」

俺も少し気まずくなり、すぐに話を昨晩のことに逸《そ》らせた。

「山をよぎる、大きな」

老婆は笑みを浮かべた。

「古入道を見なすったですかい」

老婆は、どうでしょう、たいしたものでしょう、とでもいうような顔をしていた。

「ええ、あれは一体」

「そりゃあ、もう、古入道っちゅうことしかいえませんわ。すんませんけど、無学なもんでねえ。空に虹がかかるとか、春に桜が咲いたりってのと同じようなものなんです。夏の満月の夜には古入道が通過するんですわ。大昔からそうなんですわ」

「あれだけ大きなものが歩いて、地面に影響がでないですか。巨大な足跡とかができそうなものですが」

「できないんですね、音も地響きもせんかったでしょう。あれはねえ、一種の幽霊ですな。あれが通ったあとも、別に何ひとつ踏みつぶされたりしないんです。あれが消えたところも、別に何か変化が起きるわけではありません」

「普段は、山、なのですか」

「わかりませんな。人がいうには、古入道の山いうもんがあって、場所は毎回変わるんだそうで、そこに迷って入ると、どこか遠くに運ばれるという話もありますが、どうだかねえ。ともかくまあ、あの巨人は〈この世〉のもんではない〈あの世〉のもんですよ。ほれ、蜃気楼いうんは、実際にそこに何かあるわけではなくて、遠い海の向こうの町が映っていたりするのでしょう。あれもね、遠い〈あの世〉の蜃気楼なんだって、あたしゃあ思いますね」

俺は頷いた。

「夢のように思いました」

「まあ、一種の夢が歩いているのかもしれませんな。古入道は〈みんな大勢〉では見られないんですわ。隣に誰もいないときだけ、現れる。そして昨日もいいましたが、明るくしていると、見られない。電気のある家なんかではまず見られません。静かな山奥で、一人で、火を消して、絶対に向こうが気がつかないようにそうっと覗かないと、見えないんですよ」

なるほど、と思う。夢も眠らないと見られないし、他人とは共有できない。

老婆は、いったん階下に下りると、膳を運んできた。

緑茶とおはぎが載っている。

「いや、これはなんとも」

「さあ、今日も一日、歩くでしょう。腹ごしらえしていってください」

おはぎは自家製であるに違いなかった。もち米にべったりと餡《あん》が塗りつけられている。とても大きい。荒々しく、ぼってりとしている。

「おいしそうな、おはぎですね」

「夜船《よふね》でございます」

「夜船というのは」

「牡丹餅《ぼたもち》のことを、おはぎといいますな？　牡丹餅を、おはぎいうのは、本当は秋だけなんです。牡丹餅いうんは、季節によって名前を変えるんです。春は牡丹餅。秋はおはぎ、夏は、夜船というんだって、わたしなんか、教わりましたがね」

「そうなんですか」

初耳だった。

「何も知らんねえ、お兄さんは」老婆は笑った。

箸でつまんで口に運ぶと、もち米が口の中でぼろりとほぐれた。充分に甘いが、甘すぎはしない。

これはうまいですな、というと、老婆は満面の笑みで喜んだ。

緑茶を啜《すす》る。

「いや、こんなところに住んでいて、山姥《やまんば》みたいな奴だとお思いでしょう」

「いや、そんな」

「なになに、その通りなもんで、かまやしませんがね。でも、こんなこたあ、みんな無視しているようだからいわせてもらいますが、あたしだってねえ、昔は若い女だったんですよ。ええ、若い男の人は、みんな頬を赤らめてちらちらと見ましたもんで、無視して歩きましたわ。五十年も前はねえ。お兄さんも五十年前に来たら良かったですなあ」

俺は急に可笑《おか》しくなり、噴き出した。老婆も、かか、と笑った。

「まあ、子供も二人おりますな。もうとっくに大きくなって遠くに出ていますけどな。孫は四人います。でも、ここで一人で古入道が歩くのをしんみり見ているのが好きですわ」

老婆とおしゃべりをしていると、いつまでも出発できないので、適当に切りあげた。

外にでると、よく晴れていて、妙に清々しい日だった。

中津温泉のほうに顔をだす用事はもう済んでいたので、汽車で実家に戻ることにした。バスに乗り、駅に辿り着き、汽車の座席に座る頃になると、なんだか、古入道なんてものを本当に見たのかどうか、全くもって怪しくなってきた。

☆

杉本《すぎもと》が話し終えた。

七尾《ななお》はいった。

「んで、どうなったんだ」

「それで終わりだ。家に戻ったら赤紙がきていてな」

「おやおや」

「安いなあ、俺の命。出征して、上官に毎日ビンタされて、そしてここだ。まあ、あの夜船が、人生で一番うまかった甘味だな」

七尾と杉本は、ジャングルの中にある岩場の洞窟にいた。

昨日まで七尾は七人の隊に在籍していた。二等兵だった。敵兵の襲撃を受けて、六人が死んだ。つまり、七尾のみが生き残った。たまたま上官の命令で水汲みにでていたことが幸いしたのだ。無論、命じた上官も死んだ。

命からがら逃げてきて、途中で洞窟を見つけて身を隠した。

するとそこに同じ二等兵の階級章をつけた男が潜んでいたのだ。

これが杉本との出会いだった。

　杉本は、七尾とは別の部隊で、七尾と同じく作戦中に敵兵の襲撃を受け、散り散りになって逃げてきたのだという。

　とりあえずここで、しばらく様子を見ようということになった。

　二人とも玉砕するより生還したかったたし、外に出て不用意に死ぬことは、戦略的にも正しくないはずだ。

　二人で交互に、故郷の話や、食べ物の話などをしていると、すぐに打ち解けて親しくなった。そして、その流れで、杉本が古入道の話を語りはじめたのだ。

　緑色の軍服は、二人とも汗と泥で汚れている。

　銃と弾薬、僅かな水の他には何もない。

　入り口に顔をだすと敵兵に見つかるおそれがあるから、少しだけ奥に引っ込み、岩壁に背を預けて座っている。

「本当の話じゃないよな？」

「いや、本当の話だ」

「じゃあ、おまえ、古入道なんてものが、本当に日本にいるといいはるのか」

「いるな。俺だってその民家に泊まるまでは、一度も聞いたことなかったし、他人から聞いたって信じなかったろうよ。古入道はいる。夏の満月の晩の幻なのかもしれんが、俺は見た。凄いぞ。背中や肩には森がそのまま載っている。頭の上には帽子のように、塔が建っている。見せてやりたいよ。見るまでは信じないだろうが」

しばらく沈黙があった。

「信じるぞ」七尾はいった。「話を聞いているときは、なんだかなあ、と思ったが、だんだん、そういうものがいるんだって気がしてきたわ。俺は、必ず生きて帰ってそこにいって、どうれ、夜船を食べながら、巨人を見物してやる」

七尾は杉本から、その民家の場所の詳細をきいた。

「是非行ってくれ。本当だってわかるから。花火に近いものがある。消えてからは、ああ、終わった、と切なくなった。老婆に会ったら、よろしくいってくれ」

「しかし、話を聞くと、なかなかいい婆さんだな」

「そうだな。夜船を食べたときな。ああ、こりゃあ、もしかすると、俺のために手間暇かけて作ってくれたんだなって思ったよ。封筒を渡してから作ったってことはあるまい。本当にまあ、人生で一番うまかった甘味だって。ちょうどそういうものを食べたい腹具合だった……やはりそのとき体が求めていたものが一番うまい」

「さっきまで、すき焼きを食べたかったが、おまえのせいで、猛烈に甘いものが食べたくなったわ」

「両方とも食べられるさ。本土に戻ったらきっとな」

杉本は目を瞑《つむ》った。

「少し寝ようか」

七尾も目を瞑った。

七尾は、日本に戻り杉本と一緒にその民家を訪れ、三人で老婆と談笑しながら、おはぎ――いや、夜船を食べることを想像した。

べっとりと餡が載った、粒の粗いもち米を頰張る。

想像すると腹が鳴った。

そして夜には、山を古入道が歩く。

――古入道、見てみたいなあ。

七尾は心の底からそう思うと、眠りに落ちた。

☆

地震が起こる。

森がゆっくりと動き、そこに棲む鳥獣が逃げ惑う。

やがて大地がぐらりと立ちあがる。

大きな、大きな、とてつもなく大きな生き物は、ぼろぼろと、土や、岩や、砂利を落とすと、ゆっくりと一歩を踏み出す。

空には月が輝いている。


足元には、森が、川が、湖が、ある。

視線を転じれば、遥か先の巨大な山脈と、延々と続く山並みが目に入る。

大きな生き物はあくびをする。

その音が夜に響き渡る。

なんだか夢を見ていたな。

大きな生き物は思う。

兵隊になって追い詰められた人間の夢だ。

どことも知れぬ土地の誰かの人生。

大きな生き物はよくそういう夢を見る。

大きな生き物は、薄れつつある夢の記憶に思いを馳せるが、もう詳細がよくわからない。

大きな生き物の思考は、物事を整理して覚えるのには向いていない。

大きな生き物は、歩く。

たいがいいつも、夜のはじまりから、朝になるまでのどこかで、力尽きて倒れる。

いったん倒れると、季節が何百回も巡るほどの長い時間、動かない。じっと大地の精気をむさぼり、やがて力が満ちると、再び起き上がり歩きだす、ということをずっと繰り返してきた。

最後は永遠に目の覚めない、本物の小山になるのだろうと思う。

大きな生き物は、自分のはじまりを知らない。

もしかしたら、かつて自分は人間だったのではないか？

仮に自分が夢にでてきた人間の兵隊だったことがあったのだとしても、気が遠くなるほど昔の話だ。なにしろ、一度の眠りで、数百もの季節が巡るのだ。


空。丘。森。

見渡す限りには、人間の居住地はない。

そもそも夢以外で人間を見たことはない。

自分が人間の夢を見るように、人間もどこか別の時空で、自分の夢を見ているだろうか。

時折、何かに見られている気がする。

大きな生き物は、息を吐く。

口元にこびりついた、苔むした土が、ぼろぼろと地表に落ちていく。

そう、あの夢の中で人間たちはどこかの山の中から、そっと自分のことを眺めていた。

考えると、なんだか面白くなった。

森を背負った大きな生き物はしばらくその考えを楽しんでいたが、やがて思考はとりとめもなくなり、霧散していった。

ごうごうと風が吹いた。

夜明け前に地面に倒れ、小山となった。

そして、大きな生き物は、再びまた別の夢を見る。

☆

早朝だった。

二人で洞窟をでた。しばらく森の中を歩いていたが、どこからか銃撃され、慌てて茂みに逃げ込んだ。

呻き声に七尾が目を向けると、腿《もも》に銃弾を受けた杉本がもがいていた。

そっと這い寄ると、足を持ってずるずると木陰まで引っ張った。敵兵は撃ってこない。おそらく視界に入っていないのだろう。

七尾は木陰で杉本を背負うと、小走りにその場を離れた。

杉本は七尾より少し大きい。だが七尾は鍛え上げていたし、杉本も痩せていたから、さほど重くも感じなかった。

七尾の背中で、杉本はいった。

「おい、もう下ろせ」

「下ろすさ、ずっとは背負えん」

七尾は返した。

全身を玉の汗が流れ落ちる。

「そこらに下ろせ」

「下ろすが、まだだ」

ひょいひょいと七尾は進む。

もう少し安全なところへ。

大きなガジュマルがあった。気根をカーテンのように垂らしている。

七尾はそこで杉本を下ろした。

「すまんな、ありがとう」杉本は呟いた。そして服を破くと傷の手当てをした。

その間、七尾は銃を構えて敵の気配に耳を澄ませた。

敵兵も、深追いする気はないのかもしれない。たとえば、先ほどの場所で、見張りや防衛る。


の任を受けていたのなら、普通は相手を追って持ち場を離れたりしない。

蚊が顔の前をうるさく飛び回る。

羊歯《しだ》科の植物が生《お》い茂っている。

安心しかけたのも束の間だった。少し離れたところで、ざわざわと草をかき分ける音がする。

七尾ははっとして耳を澄ませた。

明らかに忍び足で、葉を踏む音も小さい。だが消しきれない音がこちらに近づいてくる。

そうか、追ってくるか。

動悸が激しくなる。

七尾は杉本をちらりと見た。

杉本は木にもたれながら、七尾に手で示し小声でいった。

――何やってんだ。いいから行け。

七尾は頷いた。

そしてもう振りかえらずに、その場を離れた。

しばらくして、背後に銃声を聞いた。

七尾は死ななかった。

後に何度も汗だくになって、南の悪夢から目を覚ます。そして呟く。

俺は、死ななかった。

☆

杉本と別れてから二日後、七尾は味方の陣営に辿り着いた。途中、腕を怪我し、そのおかげで、傷病兵として日本に向かう船に乗った。同じ船に杉本の姿はなかった。

そのようにして九死に一生を得たのである。島に残った兵はその数日後にほぼ全滅したという。

ほどなくして終戦した。

自分が地獄から生還できたことは、奇跡に近い僥倖《ぎょうこう》だった。

七尾は意識から戦争のことを遠ざけた。日常を支障なく生きていくのに、不必要なことや、考えてもしかたのないことは、考えないことにした。誰にも多くを語らなかった。

杉本のことについては、ごくたまに数年に一度、おはぎを食べるときに、僅かな時間思い出した。

あの後、杉本がどうなったのか、七尾にはわからなかった。

死体を見たわけではないが、彼は死んだのだと思う。状況から考えても、引き揚げの船で姿を見なかったことからも、その可能性が一番高い。

杉本を背負い続けていれば、あるいは助けることができたかもしれない——などとは考えなかった。同胞の死は、その戦線においては日常だったし、その種のことを考えてもきりがない。背負い続けていれば、助かったかもしれないが、二人とも死んでいたかもしれない。地獄のことなど思い出したくもなかった。怒りや悲しみに身悶えして何になる、と思っていた。

七尾は商社に入社し、後はがむしゃらに働いた。家は東京にあった。

やがて東京で妻となる女と出会い、所帯を持った。

娘ができて、育てた。娘は成人して、東京のサラリーマンのところに嫁にいった。時々実家に孫を連れて戻ってくる。


戦後、四十年が経過した。

盆の頃のことだ。テレビでは終戦四十周年の戦争特集をやっており、妻はのんびりとお茶を呑んでいた。七尾は五分ほど妻の隣でテレビを見ていたが、チャンネルを替えた。妻が、水まんじゅうが載った皿を持ってきたので、なんとなくつまんで食べた。透き通った葛粉に餡が包まれた夏の菓子だ。それから立ち上がり、洗面所で歯を磨いた。

七尾は自室に行くと寝転がった。
電気を消した部屋で、網戸の向こう側から虫の音が聞こえていた。
唐突に、杉本の声が脳裏に響いた。
――まあ、あの夜船が、人生で一番うまかった甘味だな。
「杉本」
七尾は呟いた。
なんという若い声だろうと思った。
あのジャングルの洞窟でかわした、杉本との会話の一部始終が甦った。
七尾はしばし呆然とした。
網戸からの夜風を吸いこむ。そうだった。自分はまだ見に行っていない――。
「古入道」
古入道。長門渓谷。老婆。牡丹餅。夏は夜船。
そうだった。見に行かなくては。生きているうちに。
もう仕事は退職していた。時間はたくさんあった。
七尾は身支度をした。
バックパックと寝袋と、地形図を買った。

妻に数日間旅行に行くと告げ、家をでた。妻はきょとんとした顔をしていた。妻を連れていってもよかったが、古入道は、杉本の話にでてくる老婆の言によれば、一人でないと見られないのだ。なんにせよ個人的な旅行だった。

新幹線に乗り、鈍行列車に乗り換えた。駅を下りると夜になったので、旅館に泊まり、翌日にバスに乗った。

バスは細く静かな山村の道を進んだ。

長門渓谷前のバス停で下りたのは、七尾一人だった。

閉店して廃屋《はいおく》となったレストハウスの脇を通り、山道に入っていく。

長門渓谷はひっそりと静まりかえっていた。

おそらく老婆の民家はもうないだろうと思いながら、目星をつけた場所を探してみたが、やはり見つからなかった。

山肌にぼろぼろの廃屋が建っているのが目についたが、そこに至る道は消えていたし、そこが件《くだん》の場所ともわからなかった。

七尾は杖をつきながら、見晴らしのよい場所を目指した。

やがて森を抜けると、熊笹の草原が現れた。ここなら見えるはずだ。

満月の晩、熊笹の生い茂る丘の上で、七尾は、倒木に腰かける。

夜空に雲はない。月光が降り注いでいる。
下界の灯りは山に遮られて見えない。
まるでそこはいつか迷い込んだ夢の場所だった。
そして、七尾は、古入道が現れるのを、じっと息をひそめて待つ。

しりとり

北村　薫

北村 薫

きたむら・かおる

1949年、埼玉県生まれ。
1989年、『空飛ぶ馬』でデビュー。
1991年、『夜の蝉』で日本推理作家協会賞を受賞。
2006年、『ニッポン硬貨の謎』で本格ミステリ大賞を受賞。
2009年、『鷺と雪』で直木賞を受賞。
作品に『スキップ』『盤上の敵』『ひとがた流し』『飲めば都』など。
アンソロジストとしても著名で、『謎のギャラリー』などの編著がある。

1

向井美菜子《むかいみなこ》さんは、わたしとよく仕事をする編集者の一人である。

この間、五十を越えた。とはいっても人は、年齢の峠のあちらとこちらで、天気と雨降りのように変わるわけではない。初めてお会いした頃が、そのまま続いているような気がする。

その《初めて、お会いした時》だが、二十年近く前だ。

わたしの作品を読んだ向井さんから、丁寧な手紙をもらった。ぜひ、一緒に仕事をしたい――といってくれた。ありがたかった。しかし、自分にどれほどのことが出来るか分からず、即答は避けた。無論、お礼の返事は出した。その後、向井さんの出版社の主催するパーティがあり、受賞者と縁があったので出掛けて行った。

生憎《あいにく》、招待の葉書を持って行くのを忘れた。受付に並んで名前をいうと、

「どちらの何々様でしょうか？」

と、いわれた。駆け出しの書き手が名前を知られていないのは、当然のことである。それなのに、受付を終えて進んで行くと、横に並んでいた社員達の中から、一人の女性が進み出

て話しかけてくれた。

きちんと名前と顔を認識していてくれたのが向井さんだった。以来、何冊かの本を出してもらった。丁寧な、行き届いた仕事ぶりだった。何より作品を愛してくれているのが、よく分かる。我が子を本当に好いてくれる人かどうか、親なら見抜けるものだ。それが有り難かった。

過ぎてみればあっという間の年月だった。赤ちゃんが生まれるというので休んでいたと思ったら、そのお子さん達も今では上が大学生、下が高校生だ。そんな時の流れの中で、悲しいこともあった。向井さんは数年前、ご主人を亡くしている。

身を裂かれる苦しみだったろう。だが、その時、支えになったのはお子さん達の存在だ。この子供達を大人にするまでは、親としての責任がある——そういう思いが向井さんを、前に歩ませたのだ。

2

わたしは、向井さんの著書と古書店で出会ったことがある。編集者が、作家の本を見つけるのは当たり前だ。逆は珍しいだろう。

神田の街を歩いていて、平台に、ある俳人の追悼句集を見つけたのだ。その人を主宰として仰ぐ結社のものだ。同人達の句を集めた、かなり厚いものである。

向井さんが、俳句を始めたのは十年ほど前のことだ。編集者でやっている人は、珍しくない。仕事の都合で、参加せざるを得なくなる人もいる。向井さんは、前から興味を持っていたようで、わたしの原稿を読んで、

「虚子《きょし》の、こういう句を思い出します」

などといってくれた。

確かに、エピグラフに使ってもいいような一句だった。そういう洒落《しゃれ》たことをするのが似合う作ではなかったから、巻頭には引かなかった。しかし、向井さんの、作品を読んで芯にあるものをつかんで来る力を改めて思った。

雑談の折に、俳句の話もちらりと出る。当然、向井さんが誰に師事したのかは知っていた。その方が亡くなったことは、新聞で目にした。

その俳人の追悼句集だから、平台から抜いて広げてみた。目次に、多くの同人名が並んでいる。群衆の中に知り合いを探すつもりになり、目で追って行くと……あった。

――向井美菜子
そのページを開いてみると、見開き二ページに向井さんの句が並んでいる。

ひとつこと追うて寒さを忘れゐし

などというのは、いかにも向井さんらしかった。夢見る若い頃で、相手がひそかに恋する人なら飛びついて買っていたろう。しかし、書いたものを読まれるのが前提の作家ならともかく、一般の人が、知り合いに自作を手に入れられ、何というか、――好き勝手に見られてしまうのは有り難くないだろう、と思った。

作家にしたところで、わたしなどは、知り合いに自作を読まれたくないたちだ。いたたまれない気にもなる。表現というのは内面告白だ。知り合いの前に、衣服のない姿をさらしたがる人間はまれだろう。

私は句集を、そのまま元のところに戻した。

3

向井さんの出版社から新しい著書が出て、何冊かサインすることになった。

別の仕事の都合もあったので、こちらから出版社に出向いた。打ち合わせなどに使われる小部屋で、机に向かいサインをした。

会社の人がお茶を運んでくれ、向井さんが、お茶菓子を出してくれた。近くの店のものらしい和菓子だった。

仕事を終えて、雑談になった。

向井さんが、菓子を見ながらいい出した。

「うちのが亡くなった時のもの、病院から持ち帰って、紙袋に入れて、——そのままになっていたのがあるんです」

そういうことはあるだろう。見るのもつらいからだ。

「——ベッドで読んでいた本とか、メモとか、そういった雑物なんですけれど、その中に和菓子の包み紙がありました」

「……ほう」

「少しずつでも、食べるものは食べられたんです。ある時、和菓子を買って来てくれっていって——。葛《くず》ざくらと黄身しぐれだっていうんです」

そういって向井さんは、ちょっとお茶を口にした。

「——普段、和菓子なんかあまり食べない人だったんです。——というか、身の回りのことが洋風になってるでしょう。子供達にお菓子買って来る時も、チーズケーキとかバウムクーヘン、夏だとアイスクリームなんかの方が多くて」

「まあ、そうでしょうね」

「だから、珍しかったんです。（こういうの、子供の頃、食べたんだろうな）と思いながら、買って来ました。それぞれ、ちょこっと口に入れてました。味見ですね。聞いたら、やっぱり小さい頃の思い出があるんですって。葛ざくらはお母さんが、黄身しぐれはお父さんが好物だったそうです」

「なるほど」

「――それでね、どうして包み紙が取ってあったかというと、話に続きがあるんです。食べる時に、ベッドの上に出す、横長のテーブルがあるんです。しばらく考えていたけど、〈何か書くものあるか〉というんです。メモ用紙を見せると、〈小さいな〉。包み紙の裏を見せたら、〈それがいい〉といいます。テーブルの上に適当に広げてサインペンを渡すと、まず〈しりとりや〉と書きました」

「俳句ですか。ご主人もやられていたんですか」

「いえ、授業で教えてはいたでしょうけれど、自分では作りませんでした」

ご主人は、高校の国語の先生をしていた。

向井さんは続ける。

「――それで、次の行に〈駅に〉と書いて、大きく空けて、最後に〈かな〉」

「はあ……？」

向井さんは、サインの試し書き用に持って来てあった紙を取り上げ、こんな風に書いた。

しりとりや
駅に
かな

わたしは、首をひねった、それはそうだろう。

「妙ですね」

「それでね、間の空いたところに和菓子を置いたんです」

ますます妙だ。

4

「こっちを見て、にやにやしてます。〈何なの？〉って聞くと、〈俳句やってるんだろ。分からないかい〉といいます」

「謎々ですか」

「そうらしいんです」

「和菓子って、二つあったんですよね。どっちを置いたんですか」

「黄身しぐれです」

種類は幾つかあるのかもしれないが、わたしが思い描くのは、白餡《しろあん》に卵黄、微塵粉《みじんこ》などを混ぜたもので、黒い餡の玉を覆い、蒸したものだ。

私の育った田舎町のそれは、黄色がどぎついほど強かった。表面に自然なひびが入るのが、見た目の味わいになっている。口にすると、ほろりと崩れ、甘味が広がる。

「まあ……額面通りに受け取れば」

といって、わたしは書いてみた。

しりとりや駅に黄身しぐれかな

向井さんは、首を振り、

「何だかわけが分かりません」

「そうだなあ」

「第一、切れ字が重なってますし」

「あ、そうか」

〈や〉と〈かな〉が、ひとつの句に入っている。記号でいえば、驚きのマークを二つ入れるようなものだ。焦点が二つに分かれて、まずいのだろう。

私は、俳句は全くの素人《しろうと》だからご教示願う。

「こういうのは、嫌うわけですね」

「はい。いわゆる破調の句になります」

「そういうのは、あり得ないんですか」

「いえ。なくはない。例外の代表例が〈ふる雪や明治は遠くなりにけり〉です」

「ああ、そうか。確かに〈や〉と〈けり〉だ。〈けり〉も切れ字になるんですね。これは有名だ。実感がある」

「でも、普通はまずいといわれますね。水原秋桜子《みずはらしゅうおうし》の最後の句が――」

といって、向井さんは書いた。

紫陽花《あじさい》や水辺の夕餉《ゆうげ》早きかな
「ははあ、これはそのまま、〈や〉と〈かな〉だ」

「病床の作です。巨匠が禁を破った――というので話題になったそうです。最後の名人芸だったのか、それとも、もう推敲《すいこう》の気力もなくなっていたのか」

向井さんは、そこで笑い、

「――まあ、うちのが名人芸である筈はありませんけれど」

同じ病床であっても、ご主人の場合は、ふと思いついた座興だろう。

「俳句なら、五・七・五ですよね。後ろの五は〈しぐれかな〉じゃないですか。それだと俳句っぽいでしょう」

時雨《しぐれ》は、初冬の通り雨、驟雨《しゅうう》だ。

「それは頷《うなず》けますね。そうなると、――〈しりとりや・駅に黄身・時雨かな〉ですか」

「黄身は〈あなた〉でしょう。〈君恋し〉の〈君〉」

「はあ……」

「〈駅に君・時雨かな〉で思い当たることはありませんか」

「そういえばねえ……」

5

主人とわたし、同じ高校だったんです。

初めて、言葉を交わしたのが冬の雨がきっかけでした。帰りの電車に乗っている途中から雨が降り出して、駅に降りた時にはどしゃ降りでした。急な雨だから待っていれば止むと思ったんですけど、なかなかあがらない。十六、七の頃です。一人でタクシーを使うことなんてなかったから、ちょっと途方にくれてた。

　すると、次の電車で降りて来た男の子が声をかけて来たんです。同じ学校の制服で、通う道も途中まで一緒でした。顔を見たことならあります。

「傘、ないの？」

「……ええ」

　得体の知れない相手ではないので、不安はありませんでした。

「僕、B組の……」

　と向こうから名乗り、わたしもそうしました。

「よかったら、入っていかない？」

　と傘を広げます。男物の黒い、大きな傘です。感じの悪い子だったら考えましたけど、育ちのよさそうな人だったから、こっくりしました。

　右の肩と左の肩を濡らしながら、歩いて行きました。あちらの肩の方が、多く濡れているようでした。

「朝とか見かけてたから……」

「はい。わたしも……」

「この辺なのに、中学校、違ったんだ。――私立？」

「いいえ、春から越して来たんです。父の仕事の関係で」

「そうなんだ」

もう少し行った先で、道はT字になります。そこで右と左に分かれるのです。男の子はいいました。

「うちはね、ちょっと変わってるんだ。屋上にプールがあるんだ」

「へえー」

これには、純粋に驚いてしまいました。日本に、そんなうちがあるなんて。

「それでね、庭がランニング出来るぐらい広くて、ピアノやオルガンが何台もあるんだ」

「……凄いですね」

大変なお坊ちゃまかも知れないが、それより誇大妄想の人かもと、ちょっと引きました。

「凄くないんだ。そういううちって何だか、見当つかない？」

わたしは、首をかしげました。ちょうど、この和菓子の問題を出された時のように。男の子は、種明かしをしてくれました。

「幼稚園なんだ」

「あ……」

「教会やってるんだ。——教会やってるって、何だか変だな。とにかく、そこで幼稚園もやってる。そのうちの次男坊」

「じゃあ、キリスト教徒ですか」

「だとすると、あの……洗礼名とかあるんですか。ヨハネとかペテロとか……」

「一応ね」

「さあ、どうかな」

　とにこりと笑います。

　後で、親しく話すようになってから知ったのですが、彼のうちはプロテスタントでした。プロテスタントは、洗礼するけれど洗礼名はないそうです。

　彼が、にこりとした時、T字路の突き当たりまで来ました。雨は少し弱くなりましたが、でもまだ、小太鼓を叩くように傘を打っています。

　男の子は、その柄をわたしに預けました。

「じゃ、これ持って行きなよ」

「え……」

「うち、もう近いから」

　と、軽く手を振ります。

「すみません」

　男の子は、さっと走り出して行きました。

6

「傘は？」

「乾かして、綺麗に畳んで返しました」

わたしは、ふーむ、と顎を撫で、

「時雨で結ばれた二人……か」

「そういうわけでもないです。一直線じゃありません。紆余曲折はありましたから」

「紆余曲折は、普通あるさ。――とにかく、そういうことなら間違いない」

「あの時のことをいったんでしょうか」

「だろうねぇ」

向井さんは、不満げだ。

「でも、〈君・時雨かな〉じゃあ、字足らずもいいとこですよ。それに、上五の〈しりとりや〉って何です」

「そうか。……それがあったね」

「でしょう？」

わたしは苦し紛れに、

「しりとり遊びの言葉が繋がるように、二人が繋がったということかな」

向井さんは、首をゆっくりしたメトロノームのように振り、

「それって、いかにも無理やりな感じがします」

「うーん」

わたしも釈然としない。

しりとりや駅に君時雨かな

ご主人は、〈俳句やってるんだろ〉といったのだ。それにしては〈俳句〉の形になっていない。一体全体、この不思議な言葉は何を語っているのだろう。

「お茶、新しくしてきますね」

向井さんはそういって、お盆に茶碗をのせ、立ち上がった。

一人残されたわたしだ。サインという仕事は、もう終わっている。しかしながら、解けない謎が残されている。これは、まことに気持ちが悪い。

紙の上に、呪文のような言葉を、漢字やひらがなにして書いてみた。試行錯誤を繰り返しているうちに、謎の壁は、それこそ黄身しぐれを口に含むようにほろりと崩れた。

――やった！

7

「解けたよ、解けたよ」

という声が、思わずはずんだものになる。

「本当ですか？」

向井さんが、茶碗をこちらとあちらにおいて、前に座る。真剣な目だ。

「まず、俳句だとすれば五・七・五――と考える」

「はい」

「上五と下五は決まりだ。でも中七が五音しかない。だから、ここに二つの音が隠されているのじゃないかと考える」

「隠す？」

「そうさ。つまり、こんな具合だ」

わたしは紙に書いて見せた。

しりとりや
○○駅に君
時雨かな

しりとりや
駅に○○君
時雨かな

しりとりや
駅に君○○
時雨かな

「わたし達の会った駅は……」と向井さんは駅名をあげ、「ひらがな二文字ではありません。だからこのA案というか、最初の〈○○駅〉はないでしょう。それに語調も悪いです。B案なら〈待つ君〉とか考えられますけど、わたしは別に、待っていたわけじゃありませんから」

「そう？」

向井さんは、ちょっと唇を突き出し、

「そうですよ。それに、二文字をどううまく補ったところで、結局は〈予想〉でしょう。うまく俳句の形がとれても。それが正解という証拠がありません」

「ところが――」

と、わたしは湯気の立っているお茶を飲んだ。おいしい。

「え、分かるんですか？」

「うん。鍵があるからね」

「はい？」

「これだよ」

わたしは、上五の言葉を指した。

「しりとり？」

「そうさ。ご主人が書いた〈しりとりや駅に――かな〉が十字。あと必要なのは七字だ。ところが〈きみしぐれ〉は五字しかない。これをしりとりにしたら、七字になるじゃないか」

向井さんは、狐につままれたようだ。

「どういうことです？」

「こうさ」

わたしは、軽快にペンを走らせた。

きみしぐれ
＝
きみ＋
みし＋
しぐれ

「つまり、こうなる」

「あ……」

――君見し時雨。

あなたの姿を見た、冬の時雨の日。

〈見る〉に昔は〈夫婦となる、妻にする〉という意味もあった。国語の先生だったご主人は、それも知っていたろう。

激しい雨音が、出版社の一室に響いて来るような気がした。

ご主人は、ベッドに横たわりながら、これまでの様々なことを思い出したのだ。葛ざくらを口にした母、黄身しぐれを食べている父。

そして、自分が高校の制服に身を包んでいた時の、初冬のことを。帰りの駅で見た、雨のカーテンを前に、どうしようかとたたずんでいる女子高校生の、細い背中を。

それぞれに遠い日の、自分がいなくなれば消えてしまう、夢のような記憶だ。

向井さんは、文字の列を嚙み締めるように凝視し、ゆっくり、

「ありがとうございます」

と、いった。

和菓子

甘き織姫

畠中 恵

畠中 恵

はたけなか・めぐみ

２００１年、『しゃばけ』で日本ファンタジー・ノベル大賞優秀賞を受賞。作品に『まんまこと』『こころげそう』『ちょちょら』『アイスクリン強し』『アコギなのかリッパなのか』など。

1

伊藤《いとう》はある日の夕方、新婚の妻と共に、自宅マンションで友人達を迎えた。緒方《おがた》、森《もり》、大《おお》塚《つか》の三人は、大学時代からの付き合いで、いわゆる親友達であった。

三人と妻の百絵《ももえ》は、既に顔なじみだ。まだ十代で、白いブラウスとピンクのエプロンがお気に入りの妻は、はっきり言って可愛らしい。

「いらっしゃい、皆さん。今日の夕飯は、串揚げにしたの。沢山召し上がってね」

「いや、助かります。妹の愚痴を電話で聞いてて、昼を食べ損ねたんだ」

大塚が頭を下げ、皆でリビングダイニングへ入ると、テーブルには既に、料理が何品か並んでいた。さっぱりしたサラダと枝豆、それにトマト系、甘辛いソース系の串揚げ用ソース二種類だ。

「私は台所で揚げものを作ってますから、お話しながら食べて下さいね」

百絵は料理も上手い。皆は嬉しげな顔をしたが、森が一言、余分な事を言いもした。

「伊藤は昔から良い奴だった。そいつは分かってる。分かってるんだが……」

その後は、省略した。しかし、何度も似たことを言われているので、言われなくとも続きは分かった。

(つまり、俺がどうやって百絵を口説き落としたのか、分からないって事だろ)

少しばかりむくれた表情を浮かべると、百絵が可愛らしく笑って伊藤を見る。

「今日は何か、大事なお話があるんでしょ?」

そうでした。友とじゃれている暇は、今日は無さそうなのだ。

対面キッチンの奥で、アスパラのベーコン巻きやヒレ肉が、じゅわっという音と共に揚げられ、エプロンがひらひら動いていると、男達は話すよりつい、台所の方を向いてしまう。

それが分かっているので、伊藤は座ると、急ぎ一昨日大学の同窓生、御岳智則《おんたけとものり》から電話を貰ったことを、友らへ話した。

すると友三人は、揃って困ったような表情を浮かべたのだ。

「御岳って……同窓生の、オタクさんのことだよな?」

大学生の頃はよく一緒にいたのに、卒業後は疎遠になったなと、緒方が口にする。

「伊藤はあの御岳と、今も会ってるのか? ああ年賀状だけ、やり取りを続けてたんだ」

「そういう繋がりなのに、御岳が突然、伊藤へ電話をよこしたのか。えっ? ……恋愛相談だった?」

森がベーコン巻きを片手に、驚きの声を上げる。伊藤は息を吐《つ》いた。

「いや、あれは恋愛の悩みというより、結婚の悩みだったかもしれん」

腕組みと共に言うと、串揚げを持った友三人の手が、揃って止まった。

「御岳が、結婚！　あいつと暮らせる女の人が、どこかにいたんだ！」

驚きの声を聞いて、玉葱と鶏肉の串揚げを差し出した百絵が、対面キッチンの向こうで首を傾《かし》げている。伊藤は少し苦笑を浮かべてから、妻へ、御岳の事を説明した。

「あいつは大学の時、俺達四人と同じサークルだったんだ。ああ、居酒屋研究会だ」

呑むのが好きな仲間の集まりだから、結構親しくなった。だが御岳だけは卒業後、伊藤達四人へ、ほとんど連絡をしてこなくなったのだ。

今でも会計係をしている、緒方が溜息をつく。

「御岳はなぁ。裏表のない奴ではあった。でも、この世に常識という言葉があることを、しょっちゅう忘れる人だったから」

話していると、天上天下唯我独尊という言葉を、思い出すのだ。すると森が、御岳の理性は時々、脳みその中で方向音痴になるのだと、真剣な表情で語った。

「アイドルの話で盛り上がっている最中に、突然、論文の話題を持ち出すような奴だった。それと顔も良かったんで、周りは妙な苦労をした。確か大塚も、被害者だよな」

「あのな、あいつは俺の彼女に、手を出した訳じゃない。だが俺が振られたのは、御岳の王子様みたいな顔のせいだ！」

大塚の彼女は、御岳に一目惚れしてしまったあげく、速攻で振られたのだ。だから大塚は、御岳に悪意がないことを、きちんと分かっている。

だが、しかし。

「あの後、俺は二人の女性に振られた。一番入りたかった会社に就職出来なかった。院生の妹が今、就職に苦労してる。全ては御岳が悪いような気がしてるんだ」

「無茶言うな」

伊藤が溜息と共に、御岳像をまとめた。

「顔は桁外れに良い。背も高い。家は恐ろしく裕福だ。自分の興味が向くものにとことん走って、オタクと呼ばれてたな。大学卒業後、ある企業の研究職に就いた筈だ」

何にしろ飛び抜けている男で、並な者は、近くにいるだけで疲れると、同じゼミの者達に言われていた。御岳の方は、己は至って真面目で一般的だと、口にしていた。

「だからかね、居酒屋研究会の者以外、御岳には親しい友がいなかったな」

だが卒業後、伊藤ですら会ったのは二、三度で、後は賀状のみのやり取りとなっている。

御岳は人付き合いが嫌というより、不得手なのだ。伊藤が、こめかみを押さえた。

「なのにどうして俺に、電話を寄こしたんだろうなぁ」

しかも御岳は、当然伊藤が力を貸してくれるものと独り決めし、言いたいことを言ったあげく、携帯を切ってしまった。伊藤は、御岳の依頼を断る間も持てなかったのだ。

「つまり俺達は、あの御岳を助けるために、今日、集められたって訳か」

「おいおい、人の結婚問題に口を挟んでも、どうにもなりゃしないって」

緒方、森がそう言って、眉尻を下げる。大塚ははっきり、顔を顰《しか》めた。

「そもそもだ、飛び抜けて優秀なあの御岳が、解決出来なかった悩みなんだろ？」

俺達じゃ歯が立たないに違いないと、三人は投げやりだ。そして問題の解決を探るより、御岳への断り文句を考え始めてしまった。伊藤が、深く息を吐く。

だが。台所からの声が、その会話を切った。

「あの、面白そうなお話ね」

百絵が興味津々の顔で、今度は鶉《うずら》の卵、それに豚肉のチーズ巻き串揚げを、キッチンから差し出してきたのだ。

「突拍子もないオタクさんの結婚相談で、どんなものなのかしら。それを皆さん、どう解決するの？」

笑顔と共に、期待を込めた目を向けられたものだから、止《や》めようという声が、急に引っ込んでしまった。男たるもの、いささか馬鹿馬鹿しいとは思っても……可愛い女性の前では、見栄を張りたいものなのだ。

するとと伊藤はその機を掴み、とにかく話を聞いてくれと言い頭を下げた。そして一本串を手にしてから、御岳の電話の内容を口にしたのだ。

2

『伊藤、俺は結婚する事にした』

昨日、居間で電話を受けた伊藤は、第一声でいきなりそう言われ、眉間に皺を寄せた。『俺』が誰なのか、一瞬分からなかったからだ。

「あの……その声、御岳だよな？」

『勿論、俺だ。大学で毎日話してたのに、声で分からんのか？』

「最後に会ってから、大分経つからな」

正直な所、直ぐ御岳の名が出た事に、己で驚いた程であった。だが御岳の返事は、相変わらずのものだった。

『なんだ伊藤、お前は記憶力が悪いな』

「御岳は、今も口が悪いんだな。で、この電話は、結婚の報告か？」

何にしろ目出度《めでた》いと、伊藤は相手の名を問うた。祝いを贈ろうと思ったのだ。

御岳は困った男だが、腹黒い所は微塵もなく、しかも大分寂しがり屋だと、伊藤は思っている。なのに人付き合いが苦手なのだから、それを分かっている自分まで御岳と縁を切っては、いけないと感じているのだ。

　すると御岳は、まだ決まった話ではないと言い出した。

『俺は結婚を、早めにしたかった。しかし、うちの親が、あれこれ口を挟んできてな』

　何しろ御岳の家は、桁の違う資産家なのだ。だがこの春、奇跡が起こった。勤め先の研究所に入ってきた新入社員を、御岳は見初《みそ》めたらしい。橘《たちばな》という人だと名を告げた。

『橘さんなら、親もＯＫに違いないんだ』

　優しげな美人で、スタイルもいい。同じ研究所に採用されたのだから、頭も良いはずだ。おまけに上司が、彼女が良き家のお嬢さんであると漏らした。

『出会って二時間後には、プロポーズの意志を固めた』

　しかし御岳は、そこでぐっと踏みとどまったという。

「二時間後って……そりゃ、申し込みをしなくて良かった」

　伊藤は溜息を漏らした。突然結婚してくれと言ったら、相手は驚いたに違いない。しかし御岳は、そんな言葉など聞かず、どんどん話を先へ進めて行く。

『橘さんは、きっと素晴らしい女性に違いない。だが見た目以外は、他の人に、直ぐには分からない。親へ説明しづらいんだよ』

　よって確実に結婚したかった御岳は、それを的確に証明しようと、思い立ったらしい。御岳が適切な問いかけをし、橘が満足のいく答えを示せば、御岳家の親達も結果に納得する筈なのだという。

伊藤は聞いただけで、恋愛が論文に化けたような気がし、頭がくらくらした。

『それでだな、俺はまず彼女に、交際を申し込む事にした』

「どうして今の話の流れで、交際申し込みへ行き着くんだ？」

しかも、その申し込み方法を聞き、伊藤は驚いて、スマホ片手に黙り込む事になる。御岳は、不可思議なことをしたのだ。

『俺は橘さんへ、菓子を贈ることにしたんだ』

目出度《めでた》い形の入れ物に入れたのは、菓子屋に特注した上菓子七品だ。すすき、女郎花《おみなえし》、蓮、萩、桔梗《ききょう》、撫子《なでしこ》、菊をかたどったもので、ご大層な紙で包み紐を掛け、渡したらしい。

『彼女には教養と知性があるだろう。よって菓子からこちらの意図をくみ取り、的確にして慎ましやかな返答を寄こす筈だ。そういう相手であれば、御岳家の妻にふさわしい』

末広の入れ物に入れた七種の生菓子は、御岳家女主人となる為の、一種のテストであった。

「おい御岳。好いた相手に、妙な事を仕掛けるんじゃねえよ」

伊藤はそこで、声を低めたのだ。いきなり試されて、喜ぶ女性がいるとも思えない。

「橘さんは怒るんじゃないか？　御岳、交際を始める前に、振られちまうぞ！」

『何故だ？　俺は高給取りで、若く、容姿にも優れ、しかも資産家の息子だ。見合い話なら山と来ている、引く手数多《あまた》の男だぞ』

「見合いの身上書には、御岳の性格は、書かれちゃいないからなぁ」

はっきり言ってみたが、見事に黙殺される。まあ、電話で止めても無駄であった。御岳は既にその菓子を、相手へ贈ってしまったのだ。

『返事も、もう貰っている』

「へえ……橘さんは無視せずに、ちゃんと対応してくれたんだ」

伊藤は一瞬、驚いた。まあ御岳は、同じ研究所に勤める先輩なのだ。橘という女性も、大人の振る舞いをしたのだろう。

ところが。

『彼女は、俺の理想通りには動かなかった』

「は？　ちゃんと返事をくれたんだろ。交際を断られたのか？」

すると携帯の向こうで、御岳の声が低くなる。贈った品物の意味と意図を答え、その上で、こちらへ交際ＯＫを伝えてくるというのが、御岳の理想的展開だったらしい。しかし返事は、諾《だく》でも否でもなかった。橘は御岳へ、何と別の菓子を返してきたというのだ。

『意味が分からない。何故、俺が考えた通りに、動かないのかな』

「そりゃ、人間は化学薬品じゃないからな。Ａ薬とＢ薬を混ぜ合わせたら、必ずＣの反応を示すとは限らない」

『そんなに不確かであって、いいのか？』

つまり御岳は、珍しくも困っているのだ。橘が返してきたのは、
一、麦縄菓子《むぎなわかし》と包みに書かれた、堅いねじり菓子。
二、ぼそぼそとした面《おもて》の、時雨羹《しぐれかん》。
三、オレンジ色のと、花のような形の上菓子が一つずつ。以上であったらしい。
『和菓子を贈ったら、和菓子を返してくるなど、彼女は変なことをする』

オタクで変人の御岳から変と言われると、思わず一時間ほど考えこみたくなるが、確かに伊藤も、妙なお返しだと思う。するとここで御岳は、思い切り勝手な事を言い出した。

『俺は今、研究が佳境に入ってて、大変忙しいんだ。なのに和菓子のことが、気になって仕方がない』

橘という女性は大層綺麗なようで、御岳は珍しくも、『面倒だから、はいさようなら』と言わないのだ。その代わりオタク男は、勝手な事を言い出した。

『伊藤はまず、俺が渡した菓子の意味を推察し、楽しんでくれ』

見事、御岳の意図を摑んだら、今度は橘が菓子を寄こした理由も、考えて欲しいと言う。

「何で俺がそんなことを、しなきゃならんのだ？」

大体、橘という女性の事で相談に乗って欲しいのなら、御岳自身の贈り物の意味は、真っ先に説明するべきではないか。本人には、分かっている事だからだ。

伊藤が、これ以上無い程真っ当な意見を言うと、御岳は何と、嫌だと言い出した。

『伊藤、親友の頼みだ。両方推察してくれ』

「は？　誰が親友だって？」

伊藤が驚いている間に、礼はすると言い、御岳はさっさと電話を切ってしまった。

3

伊藤家のマンションに、顰《しか》め面が並んだ。

「そんな相談、放っておけ！」

「御岳は阿呆か。命令され、伊藤がほいほい調べると思ったのかね」

「……あいつも、振られればいいんだ」

緒方、森、大塚の三人は、揃って声を荒げたのだ。すると。

百絵が、今度はエリンギとカマンベールチーズを揚げ、皆に勧めてくれたので、キッチンテーブルは一寸《ちよつと》、嬉しげな表情で埋まって静かになる。すると百絵が、今の話で一つだけ、分かった事があると言い出した。

「御岳さん、もしかして、あまり女の人と付き合った事がないのかな」

伊藤がチーズをかじりつつ首を傾げ、妻を見る。百絵がビールを注いだ。

「御岳さんは多分、当人の基準からすると甘ーい言葉を、橘さんに伝えたかったのね。でも、直《じか》に言う勇気が出なかった」

だから物を渡し、その中に気持ちを込めたのだ。

「あなたに、渡した菓子の意味を推察してくれなんて言ったのも、照れたんだわ。自分の口では、言えなかったからじゃないかな」

馬鹿なやり方だとは思うが……御岳の一般常識は、時々脳みその中で迷子になるらしいので。

「あーっ、あいつなら、あり得るな」

緒方がやれやれと言って、エリンギを辛いソースにつける。大塚は一層、口をへの字にひん曲げた。

百絵はその後、ウインナや玉葱、蓮根、海老、山芋のベーコン巻きなどをどっさり揚げ、大皿へきれいに盛ると、四人へ差し出した。それからコンロの火を止め、エプロンをひらりとさせてリビングダイニングから出て行く。

キッチンへ戻って来た時は、タブレットを持っていた。

「おや、百絵さんは御岳の為に、和菓子の謎を解いてあげたいのかな?」

多分、先程の菓子について検索する気だろうと言い、大塚が呆れる。御岳の顔も見たことがないのに、親切だなぁと言ったのだ。すると百絵は、皆へちろりと舌を見せた。

「私、橘さんという女性が、何を言われてどう返事をしたのか、興味津々なの」

「返事……百絵は橘さんが返した菓子が、返答だと思ってるのかい？」

「だって、あなた。橘さんは、恐ろしく頭の良い御岳さんと、同じ研究所へ入った方なんでしょ？　この就職の難しいときに」

大塚が頷《うなず》く。

「そういや、そうだな。いや女性は、男以上に実力を見せないと、有名研究所などへの採用は、難しいみたいだ」

女性は出産による休みや、育児休暇などを取る事がある。だから表向きは男女平等が建前でも、就職で不利になったりすると、大塚は言った。研究者など、成果を出せば性別など関係なさそうな職業においてすら、そういう話を聞く。

「俺の妹が、今、苦労してるよ」

「亜実《あみ》ちゃんの愚痴って、就活の事なのか」

伊藤が問うと、大塚が頷く。亜実も研究職希望だが、苦戦中であった。先日など面接の後、廊下で、結婚もしていないのに出産予定を聞かれ、半泣きになったらしい。

「あいつは橘さんという人を、羨ましがるだろうな。実際、優秀なんだろう」

そういう女の人が御岳をどう見たか、確かに興味が湧くと大塚も言い出した。百絵が頷く。

「じゃ、まずは御岳さんが贈った、生菓子七品の方から、検索してみまーす」

百絵が、すすき、女郎花、蓮、萩、桔梗、撫子、菊という文字を打ち込むと、串揚げ片手の男達も、タブレットの画面を覗き込む。検索結果から、結婚との繋がりが見えるかもと、皆、期待したのだ。

だが。

「うわっ、こりゃ色々あるなぁ」

直ぐに全て見きれない程、検索結果が並び、皆が溜息を吐いた。歴史博物館のサイトや、造花の紹介、生け花、徒然草《つれづれぐさ》に着物の柄などなど、数多の文字が並び、どれを追えばいいのかとんと分からない。

百絵がここで少し唇を尖らせ、随分と落ち着いた表情の夫を見つめた。

「結果を見ても、驚かないなぁ。あなた、生菓子七品の検索、もうやったのね？」

最初に御岳から相談を受けたのは、伊藤なのだ。友へ助力を求める前に、一通り調べたに違いないと言い、百絵がむくれる。

「なら、そう言ってくれればいいのに」

「ごめん。百絵ならどうするか、知りたかったんだ」

伊藤が素直に謝り、可愛い妻は小さく頷く。

「あなたは自分で調べた後、こうして皆さんを呼んで、一緒に答えを捜してる。つまり御岳さんチョイスの生菓子が、何を示してるか、分からなかったのかな」

「うん、その通りだ」

伊藤はとりあえず、検索結果上位のサイトを二つ、三つ見て……数の多さに直ぐ諦めた。例えば生菓子七品は求婚の印、などという都合の良い文は、現れなかったからだ。

「おまけにだ。深読みをして、こちらが勝手に縁と結びつけてしまえば、どうとでも考えられるような文は、ありすぎたし」

「あの御岳が作った問題かぁ」

緒方は首を傾げた後、これならば可能性は高いんじゃないかと、画面を指さした。

「徒然草だ」

確か話の中に、蓮や桔梗、萩、女郎花など、花の名が沢山出ていたという。

「もしかしたら、草花と男女の仲が関わる話も、あったりして」

しかし、徒然草をそらんじている者は一人もいなかったから、答えが出ない。森が顔を顰めた。

「もし徒然草のどこかに、男女と草花の話があったとしてもだ。そんな問いは、少しばかりマニアック過ぎないか？」

御岳は、綺麗な橘さんと絶交したくて、和菓子を贈った訳ではない。結婚を考えているのだ。知性を感じられるが、分かりやすい問題のはずであった。

すると次は大塚が、タブレット画面を指す。

「なら、この着物のサイトはどうだ。鍵となるのは着物の柄かもしれん」

七つの花の柄は、着物や帯によく使われるものだ。

「着物から、白無垢へと発想を進める訳だ。菓子は結婚の引き出物として、連想出来る。つまり和菓子の贈り物は、御岳からの、結婚意志有りというサインさ。真剣交際求む、ということじゃないか？」

「大塚、それなら上菓子に、紅白饅頭を添えた方が、すっきり分かりやすくないか？　引き菓子として、伝統の一品だ」

伊藤に言われ、大塚が顔を顰めた。

「ええい、御岳の阿呆。菓子など注文する暇があったら、自分の口で、さっさと交際を申し込むべきだったんだ」

そうすれば、こっちも悩まずに済んだのにと続けると、森が頷いた。

「俺達は大学の時、どうしてあんな奴と、付き合いが切れなかったんだっけ？」

「御岳は、思いっきり訳の分からない奴だった。でも、嫌な奴じゃなかったからさ」

緒方が言う。もっとも、当人に悪意は無くとも、今回のように困った事を、何度か起こしてはくれたが。最近は疎遠だったから、被害にも遭っていなかったのだ。

「おい、文句よりもアイデアを出してくれ」

伊藤が注意したが、緒方、森、大塚はいい加減飽きたのか、勝手な考えを喋り始めた。

「生け花のサイトが検索に引っかかってたぞ。きっと、御岳の母親が生け花好きで、一緒に活けないかという誘いだ」

「俳句のサイトを見かけたな。花の名は、季語かもしれん。恋しい、結婚してくれという有名な俳句を、誰か知らないか？」

「鎌倉のサイトがあった。御岳は大金持ちだから、結婚してくれれば、七種の草花が咲く鎌倉に、家を買ってあげるつもりなんだろう。金持ちからの、お誘いだ」

段々、やけくそな推測ばかりになり、確証など見つからない。百絵は一旦席を立つと、そろそろお茶漬けを用意しますねと言い、台所でたらこを軽く焼き、香の物を刻み始めた。

「やっぱり御岳さんに、贈った七種のお菓子の意味を、まず聞かなきゃ駄目かなぁ」

そのつぶやきを聞いた大塚が、御岳に電話を入れろと伊藤をせっつく。仕方なくスマートフォンを手に取った伊藤が、「あれ」と声を上げた。

「まずったな。俺のスマホ、マナーモードのままにしてた」

皆で話していて気がつかなかったが、三度ほど電話をもらっていたようだ。

「何と、御岳からだ」

「御岳が、また電話を寄こしたって？」

緒方、森、大塚の表情が厳しくなる。

「厄介事を増やす気かな」

皆が眉間に皺を寄せ、顔を突き合わせたその時だ。インターフォンが明るい音を立て、玄関を映す画面に男の姿が現れた。

「ありゃ、噂をすれば御岳じゃないか」

大塚が頓狂な声をあげ、伊藤は目を見開く。

「あいつが何で、うちを知ってるんだ？」

「あなたが出した年賀状には、うちの住所、書いてあったと思うけど」

百絵に言われ、ああそうだなと伊藤は頷く。だがしかし。

差出人の所へ、自分の住所を入れたのは、礼儀といおうか、印刷ソフトの指示に従った結果だ。

「少なくとも御岳を招くつもりで、年賀状を印刷したんじゃ、なかったんだが」

つぶやいている間に、家まで来た方を放ってもおけないからと、百絵が玄関へゆく。ドアを開ける音が聞こえ……それから「えっ」という、短い驚きの声が続いた。

「おやー、御岳は伊藤の家に女性がいるとは、思っていなかったようだぞ」

森が、要らぬことを口にした。

4

「何だか急に、一人でいるのが嫌になってな。電話をかけても繋がらないんで、話も出来ない。で、会社帰りに来てしまった」

キッチンテーブルに座った御岳が、開口一番口にしたのは、思わぬ言葉であった。久々に会った緒方、森、大塚への挨拶が先だろうと伊藤が言い、そう言えば久しぶりかなと、御岳が頭を下げる。

それから皆は顔を見合わせ、じきに大塚が遠慮気味に問うた。

「おい御岳。何で人さみしくなったんだ。橘さんとやらに振られたのか？」

伊藤へ、妙な謎解きをしろと言ったのに、ひょっとしたら待ちきれず、橘へ直に交際を申し込んだのかと問うたのだ。御岳はテーブルに置かれた大皿に並ぶ、串揚げの山を見つめたまま、首を横に振った。

「伊藤に頼み事をしたんだ。俺は答えを確認する前に、別の行動を起こしたりしない」

橘も、例の菓子を寄こした後、何も言ってきてはいないという。

だが、御岳は妙に不安なのだと言って、ウインナの串揚げをつまむ。大塚が、その手を叩いた。

「断りもせず、勝手に人の家の飯を食うな！　いや、こんなお前が振られるのに、新たな意味は要らんな。その自己中について行ける女性は、少ないだろうからな」

「俺は腹が減ってる。友の家で飯を食う事の、どこが自己中なんだ！」

「そういえばお前、伊藤と親友だと言ったんだってな」

問われた御岳が、驚いた顔で緒方を見た。

「勿論そうだ。大学以来、お前達四人とは親友じゃないか」

「へっ？　俺達全員と……親友なのか。お前、何年も連絡一つ寄こしてないのに？」

思い切り間の抜けた声を出したのは森で、他の三人は、どう返事をすればいいか分からずにいる。キッチンで、百絵が声を出さず笑い出した。だが御岳は、皆の戸惑いを気にもせず、自分の問題を考え始める。

「一体俺は、どうして不安になったんだろう」

百絵はここで、またタブレットを使い始め……じき、小さく頷いた。それから御岳へ目を向けたのだ。

「ああ、何だかすっきりした気がします」

「百絵、何か分かったのか？」

伊藤は驚きの声を上げ、妻へ目を向けた。つい今し方まで、百絵も皆と一緒に、御岳の謎に首を傾げていた筈であった。なのに、御岳当人がマンションに現れた途端、答えが見つかったというのか。

男達が困ったような表情を並べると、百絵がえくぼを見せ、まず五人分のお茶漬けを盆に載せ、差し出してきた。御岳の前には、串揚げ用のソースも添えられる。

「御岳さんが、大いなるヒントを、運んで来てくれたので、分かった事があったの」

すると当の御岳が、眉間に皺を寄せた。

「百絵さん、俺は今、ヒントなど言ったかな？」

百絵は多分と言い、にこりと笑う。それから皆へ番茶を淹《い》れ、考えを語り出した。

「御岳さんは、お菓子を使って、橘さんへ交際を申し込みました」

そしてその後、橘は御岳へ菓子を返し、それ以外に何も言ってはいない。

「うん、その通りだ」

なのに御岳は今、不安になっているのだ。つまり。

「橘さんは今、御岳さんへ、優しい態度は見せてないんじゃないかな」

ということは。

「橘さんが返してきた菓子には、断りの意味が含まれていた訳か」

伊藤が言葉を継ぎ、男達が天井を見上げた。

「しかし御岳は、貰った菓子の意味がまだ分かっていない。よって、ただ不安が募り、この家へ来たんだな」

つまり百絵は、御岳が振られたという前提で、答えを捜した。だから、見つかったのだ。

「お、俺は振られたんですか？」

「その答えが正しいか、検証しなくちゃね」

だがその前に、お腹が空いているなら遠慮無くどうぞと言われ、御岳は小さく頷くと、もそもそ串揚げを食べ始める。しかしその目は、語り出した百絵を見つめていた。

「まずは御岳さんが渡した、七つの和菓子の謎ですけど」

こちらは御岳が、答えを知っている。だから、この場で百絵の考えが当たっているかどうか、はっきりできる。

「菓子屋に特注した上菓子が、七品ですよね。すすき、女郎花、蓮、萩、桔梗、撫子、菊をかたどったお菓子。紙で包み紐を掛け、橘さんへお渡しした」

すると。ここで御岳が、正確に言うと少し違うと、研究者らしきことを言い出した。

「俺は紙と紐とは言わなかった。ちゃんと、檀紙《だんし》と水引《みずひき》だと、伊藤に話した筈だ」

ついでに、扇の形の入れ物に入れたとも、言ったという。

「橘さんにいきなり、菓子の謎を考えさせたのが、良くなかったのかな。だが、七つの菓子は分かりやすかったと思うし、檀紙と水引、扇形の入れ物というヒントもあった。だから橘さんは比較的簡単に、答えに行きつける筈だったんだ」

勿論伊藤も、早々に答えが分かった筈だと、御岳は言い切る。

「扇形の入れ物だって？」

そんな話をしたっけと、皆の目が伊藤に集まった。緒方など、ひょっとして伊藤の間抜けのせいで、今まで分からなかったのではと言い出す。

「睨《にら》むな。確か……末広の入れ物と言った筈だぞ」

緒方は黙らなかった。

「伊藤、檀紙と水引の事は、初めて聞いた気がするんだがね」

「紙と紐と言っちまったかもしれんが……簡単に言い換えただけじゃないか。なあ、百絵」

伊藤は妻へ賛同を求めたが、珍しくも百絵が、頬を膨らませていたものだから、黙り込む。

百絵は直ぐに、七種の菓子と檀紙、水引の字をタブレットで検索し、皆へ示した。

「末広は、扇の事ね。さっき、もうちょっと詳しく、検索してみれば良かったの」

百絵がにこりと笑ったので、男達が検索結果を覗き込む。伊藤が首を傾げた。

「あれ、こりゃさっきも見た、サイトじゃないか？」

現れた画面は、一見七つの花とは関係が無さそうに見えた。だが、画面を下へ下へとスクロールすると、やがて綺麗な花束が現れてくる。

「何だ……七夕花扇《はなおうぎ》？」

昔、七月七日の七夕の日、御所《ごしょ》へ七種類の草花の花扇が、届けられていたらしい。

「つまり御岳さんは、七種類の花の名と、扇形の入れ物、それに七夕花扇に使われていた檀紙や水引から……七夕を連想して欲しかったんだと思う」

七月七日、織姫と彦星が出会うように、二人も会おうと持ちかけた訳だ。

「つまり……七種類のお菓子は、七夕デートのお誘いだった訳か」

一見難しそうな題に見えるが、パソコンで検索をかければ、見つけるのはさほど難しくないだろう。そして、この答えを聞いた時、橘が風雅な催しに興味があるかどうかを、御岳は知る事も出来る。

「その試みに橘さんが乗ってくれれば、暫《しばら》く二人は、話題に困らなかったでしょうし」

だが。

「橘さんは返事の代わりに、同じく和菓子を返してきたの」

「麦縄菓子と時雨羹。オレンジ色と、花のような形の上菓子が二つだ。さて、それが示す返答が、本当にお断りかどうかだよな」

伊藤はそう言うと、タブレットへ手を出し、四つの品で検索を掛けてみたが、関係なさそうなものしか出てこない。

「うーん、分からん」

こぼす御岳へ、大塚が皮肉を言った。

「おい御岳、橘さんは試された事を知って、適当に返事をしたんじゃないか？」

大塚の妹といい、女性は専門職の就職先を捜すのに、苦労することが多い。なのに、やっと就職した途端、先輩が上から目線で、仕事に関係の無い事を試してきたのだ。

「だからうんざりして、適当に返したんだ。きっとそうだ」

御岳は身を小さく縮めてしまった。

「おい、大塚。妹が就活で苦労しているからって、そいつは八つ当たりだ」

伊藤が注意すると、御岳が首を上げ、大塚を見た。

「亜実ちゃん、就活中なのか」

「お、おや。妹の名前を覚えていたのか」

意外であったらしく、大塚がちょいと眉を上げた。そこへ百絵が、食後の甘味を出しつつ声をかける。

「御岳さん、亜実ちゃんは御岳さんと、似た分野の研究をしてるの」

大学院の名と専門、成績を告げ、とても評価されているが、面接にこぎ着けられる研究所が、なかなか見つからないことを話した。

「とにかく面接して、亜実ちゃんの話を聞いて貰える先、紹介してくださると、凄く嬉しいんだけどな」

「えっ？　あ、ああ。いいですよ」

御岳は、具体的に何をすればいいのか分かると、直ぐに二箇所ほどへ連絡し、早々に訪問のOKを取り付けてしまった。

「まあ研究職は、相手方と会って話をしてみなきゃ、始まりませんし」

「は？　あの、そんなに早く……」

事がいきなり進んだものだから、大塚が却《かえ》って慌てる。百絵は大塚に、スマートフォンを出させると、さっさと亜実へ連絡を入れ、御岳に就活の世話を頼んだ旨、説明をした。

「亜実さん、御岳さんはお兄さんのお友達だから、大丈夫。ちゃんとした先を紹介して下さった筈だわ。この後は亜実さん次第。幸運を祈ってるわね」

いささか変わっていようが、世間から斜めにずれていようが、御岳は掛け値無し、優秀な研究員であった。話は、大塚が驚いている間に、まとまってしまったのだ。

「あ、その、あの、ありがとう」

大塚が急ぎ頭を下げ、礼を口にする。百絵がここで、御岳も振られた事だし、大塚は昔の残念な思い出をそろそろ忘れ、また皆で付き合えばいいと笑った。

すると。

「あの、俺が適当なやり方で振られたというのは……まだ納得出来なくて」

御岳はその事で、首を傾げていた。

5

「あらやだ、橘さんが寄こしたお菓子の意味、話が途中だったかな」

百絵の栗色の巻き毛が、ごめんなさいという言葉と共に揺れる。それから百絵は、橘の菓子が適当な品だとは思っていないと、そう話し出したのだ。

「じゃあ、麦縄菓子と時雨羹、上菓子二つの疑問も、解けたのか？　話はどう化けるんだ？」

百絵は夫へ、優しい眼差《まなざ》しを向ける。

「あのね。御岳さんから和菓子をもらった橘さんは、込められた意図を、きちんと理解したと思うの」

橘は御岳が考えた通り、大層頭の良い人である訳だ。しかし橘は御岳へ、色よい返事をする事はなかった。

「でも、同じ研究所へ入った新人として、先輩と揉めたくはない。入ったばかりで他所《よそ》へ移りたくはないでしょうし」

それで橘は、御岳と同じように、和菓子を使った見事な回答をしようと、考えたのではないか。

「良い返事ではないのに、御岳さんから評価を得るという、離れ業を目指したのね」

そう見当をつけた百絵は、タブレットで検索を掛け答えを捜した。すると、見えてきたものがあった訳だ。

「俺は麦縄などの四つを検索しても、意味が分からなかったんだが」

伊藤が情け無さそうに白状する。すると百絵は、どうやって調べたかを告げた。

「あのね、一つずつ、ばらばらに調べてみればよかったのよ」

何故なら橘の答えは、御岳への返答だったからだ。話に流れがあった。

「私はまず、麦縄菓子から調べました。別名を索餅《さくべい》といって、昔、日本に来た唐菓子で、今ある素麺《そうめん》の原型だったみたい。つまり索餅が変化して、素麺になっていったのね」

そして以前、七夕の節句では、素麺を食べる習慣があったようなのだ。

「つまり索餅というあのねじれた菓子は、やはり七夕を示してたんです」

あの菓子があることで、橘が御岳から貰った和菓子の問いを、理解していた事が分かる。

そして時雨羹が示すものは、文字通り雨だ。七夕に雨が降れば、織姫と彦星は会えない。

「つまり、橘さんがお菓子に託した返事は、御岳さんとは会わない、という事です」

「おお、返答の意図は分かった」

皆の声が揃う。橘は、好意を受ける事はできないと、御岳へ伝えていたのだ。

「ああ、こりゃ間違いない。御岳は振られたんだな」

「……」

御岳が下を向き、事ははっきりした。だが。

「あれ？　でも、上菓子二つが余ってるぞ。どういう意味なのかな？」

伊藤が言うと、その説明はこれからと、百絵がせっかちな亭主へ苦笑を向ける。勿論、上菓子にも意味があった。

「二つの上菓子の内、オレンジ色の方は、橘を表したお菓子だと思います。勿論、橘さん自身のことでしょう」

和菓子は様々なものを、表現するのだ。となるともう一つもやはり、人を表しているのではないか。

「私、花のような形の上菓子としか聞いていないの。ひょっとしたら、このお菓子と似てるんじゃないかと思うけど……どうかな？」

百絵が画像検索をかけ、特徴ある葉を付けた、淡いピンクの花の菓子を画面に出した。

「ああ、そうだ。それと似てた」

御岳が頷いたので、大塚が何の花の菓子なのかと、百絵に問う。百絵は画像を一段大きくしてから、花の名を告げた。

「これ、朝顔の上菓子なんです。で、朝顔は別名、牽牛花《けんぎゅうか》って言います」

「おや」

男達の視線が、画面上の花へと向かう。七夕に、橘と寄り添っている牽牛がいたのだ。

「つまり橘さんには、もう彼氏がいるんじゃないかしら」

「それで、御岳は振られた訳ですね。いや、明快」

緒方、森、大塚が大きく頷く。横で伊藤が、急に身を小さくした御岳へ、気遣わしげな目を向けた。

「残念だったな」

すると御岳は、仕方ないと小声で言う。縁が無かったのだ。それから顔を上げた御岳は、要らぬ一言を付け足した。

「なに、きっとこの後も、良い縁があります。何しろ伊藤が百絵さんのような、可愛らしい奥さんを得ているんですから」

自分にもチャンスがあるはずだと、御岳は言い切った。傷ついているようにも、やたらと打たれ強いようにも見え、男達が笑い出す。

「わはっ、その通り」

緒方や森までが苦笑し、大塚は誰に味方したらいいのか分からない様子で、いつになく大人しくしている。伊藤が溜息をついた。

「御岳、今回の件は、これで終わりだ。だが、これからも俺達の友を名のる気なら、もっとこまめに連絡を入れろよ」

「……あの、どうしてかな？」

本気で分からない様子なので、生きているか死んでるか消息も分からん相手とは、友でいられないと伊藤が教える。スマホのアドレスを教えろ、年に何度かは飲み会に付き合えと言うと、御岳は大人しく頷いた。

「御岳さん、奥さんは得られなかったけど、友達付き合いは復活できたわね」

百絵が笑顔で言うと、御岳はきょとんとした表情になる。

「はい？　伊藤達とはずっと親友ですが」

部屋内に笑い声が上がる。百絵が、優しそうに頷いた。

塩をひとつまみ

坂木　司

和菓子をテーマにしたお話。そう聞いたら、あなたはどんな雰囲気を思い浮かべますか？「甘ったるくて、ハッピー」？　それとも「でも私は元気です」的な女子的イメージ？　まあ、なんにせよ明るくおいしく楽しいものを思い浮かべる方が多いのではないでしょうか。しかし大変申し訳ありませんが、本書に集められたお話たちはちょっとその方向からずれています。

和菓子というテーマは本当に自由で、いただいたお話を読みながら、私は毎回驚かされました。こんな描き方があるのか。こんなつながりで和菓子を描くのか。自分だけでは、決して見ることができなかった世界。開くことができなかった扉。その向こうを知ることができて、本当に嬉しかった。

では、順を追って簡単な解説をしてみましょう。

『空の春告鳥』坂木司

自作を冒頭に入れたのは、言い出しっぺの責任であるとともに、私の作品が「甘ったるくて、ハッピー」の類型的作品であるからです。ここから、どれだけ発展していくかのスタート地点として置きました。『和菓子のアン』の続編、というか後日談です。

『トマどら』日明恩

なんと、いきなり刑事物です。しかも数字が大好きで、人とお菓子を分け合うことなどしない男が主人公。警察官や救急隊員など、硬派な世界を描いてきた日明恩さんならではの世界をお楽しみ下さい。あ、でも刑事とアンパン（あんこ）は親和性がありましたね。

『チチとクズの国』牧野修

刑事物から、今度は事件現場（になる予定だった場所）です。ちなみに牧野修さんにだけは「できれば水まんじゅうを」というリクエストがあったのですが、それがこんな形で叶《かな》えられるとは！　彼岸《ひがん》と此岸《しがん》をつなぐ物語は、まさに和菓子ならでは。しかし「アメリカはプリン」なのか……そうなのか。

『迷宮の松露』近藤史恵

ここから、海外という異世界に飛びます。遠い彼《か》の地で、和菓子が追憶を引き寄せます。黄色い砂塵、迷路のような市場、強い日差し。色鮮やかな現在と水墨画のような過去が、近藤史恵さんの筆で見事に混ざり合います。私見ですが、私もアラブ世界の甘味は和菓子と通ずる物が多いと思います。

『融雪』柴田よしき

舞台は灼熱の地から、雪降る北国へ。そしてここでついに、追憶と現在が手を結びます。

その架け橋は、もちろん和菓子。柴田よしきさんのお話は、おそらく本書の中で一番「おいしそう」な物語です。なにより和菓子はベジタリアンにもおすすめできる、というのが発見でした。

『糖質な彼女』木地雅映子

北国の暖かい部屋を味わったあとは、なまぬるい自分の部屋、いや自意識の部屋です。木地雅映子さんは、和菓子の前段階の素材に着目しました。はたして「こなし」はどうなっていくのか。上生菓子の可塑性を生かした、現実だけど異世界のようなお話。この作業、私もやってみたいです。

『時じくの実の宮古へ』小川一水

異世界のような現実から、リアリティのある異世界へ。小川一水さんのお話は、とにかくスケールが大きい。温暖化で生態系が激変した日本を舞台に、「和菓子とは何か」を真摯に問いかける主人公。ラスト、すべてが「和」ではない状態の中で口にされる和菓子が眩しく光ります。

『古入道きたりて』恒川光太郎

原色の熱帯雨林を歩いたら、いつの間にか静かな山の中へたどり着きました。月光。追憶。音もなく歩く大きなもの。和菓子は再び、「向こう側」へとイメージを広げます。時の流れが、大きなうねりとなっていつしか「今」に結びつく。恒川光太郎さんの描き出す世界が、言葉が、大好きです。

『しりとり』北村薫

現代につながれた和菓子は、北村薫さんの手によってミステリという衣をまといます。この謎かけもまた、「向こう側」からのメッセージ。長く連れ添った二人の、最後の会話を和菓子が取り持ちます。甘くて苦《にが》くてしょっぱくて、そして甘ずっぱい。美しい、背筋の伸びたお話です。

『甘き織姫』畠中恵

同じミステリでも、こちらはほのぼのと可愛らしい世界です。連れ添いはじめた二人と、その仲間による楽しい謎解き。この軽快さと読後感の良さは、畠中恵さんならでは。和菓子を確信犯的に使ったメッセージは、最後を締めくくるのにふさわしい、優しい甘さです。

さて。以上十編、いかがでしたでしょうか。和菓子という言葉から、よもやこんなバラエティに富んだお話が出てくるとは思わなかったのではないでしょうか。こういう言い方は僭越ですが、作者一人一人の持ち味が、いかんなく発揮されているように思います。

最後になりますが、左記の方々に深く感謝を捧げます。

この面倒なリクエストに、快く応えて下さった作家の皆様。妙な企画に「面白いですね」と乗って、ゴーサインを出してくれた編集の鈴木一人さん。実務を取り仕切って下さった中西如さん。装幀や製本や販売など、なんらかの形でこの本に関わって下さったすべての方々。

そして今、この頁《ページ》を読んで下さっているあなたに。

いつか、一緒においしい和菓子を食べたいものですね。

初出「小説宝石」
空の春告鳥　二〇一二年二月号
トマどら　二〇一二年六月号
チチとクズの国　二〇一二年三月号
迷宮の松露　二〇一二年八月号
融雪　二〇一二年七月号
糖質な彼女　二〇一二年五月号
時じくの実の宮古へ　二〇一二年十月号
古入道きたりて　二〇一二年十一月号
しりとり　二〇一二年一月号
甘き織姫　二〇一二年九月号

二〇一三年一月　光文社刊

光文社文庫

坂木《さかき》司《つかさ》リクエスト！
和菓子《わがし》のアンソロジー

著　者　小川一水《おがわいっすい》／木地雅映子《きじかえこ》／北村薫《きたむらかおる》
近藤史恵《こんどうふみえ》／坂木司《さかきつかさ》／柴田《しばた》よしき
日明恩《たちもりめぐみ》／恒川光太郎《つねかわこうたろう》／畠中恵《はたけなかめぐみ》／牧野修《まきのおさむ》

2014年6月20日　初版1刷発行
2014年7月5日　3刷発行

発行者　鈴木広和
印　刷　萩原印刷
製　本　ナショナル製本

発行所　株式会社　光文社
〒112-8011　東京都文京区音羽1-16-6
電話　(03)5395-8149　編集部
8116　書籍販売部
8125　業務部

ISBN978-4-334-76763-1　Printed in Japan

組版　萩原印刷

お願い　光文社文庫をお読みになって、いかがでございましたか。「読後の感想」を編集部あてに、ぜひお送りください。
このほか光文社文庫では、どんな本をお読みになりましたか。これから、どういう本をご希望ですか。どの本も、誤植がないようつとめていますが、もしお気づきの点がございましたら、お教えください。ご職業、ご年齢などもお書きそえいただければ幸いです。当社の規定により本来の目的以外に使用せず、大切に扱わせていただきます。

光文社文庫編集部